有斐閣新書

古典入門

エンゲルス イギリスにおける労働者階級の状態

浜林正夫・鈴木幹久・安川悦子 著

はしがき

フリードリヒ・エンゲルスの『イギリスにおける労働者階級の状態』は二重の意味において重要な古典である。ひとつは、いうまでもないことだが、イギリス産業革命期の労働者の状態を、克明に、かつなまなましくえがきだした労働史の古典という意味においてであって、こんにちの研究水準からみてもエンゲルスがこの書物のなかでえがいている労働者の状態は第一次史料に匹敵する価値をもっているといってよい。その当時の労働者の状態をえがいた書物はほかにもたくさんあるが、それらと読みくらべてみるとエンゲルスがいかにするどく、適確に、労働者の状態をえがききっているかは、一目瞭然である。わずか二四歳の青年がこれほどの書物を書いたということはまったく驚嘆にあたいするといわなければならない。

しかし本書はたんに労働史の古典としてのみ意義をもつものではない。ここでえがかれているのは労働者のたんなる状態ではなく、なぜこのような状態が生じているのかという理由についての分析、そしてこの状態を打開するのにはどうすればよいのかという方向もまたここに提示されているのであって、そういう意味ではエンゲルスの思想の核心がここにはふくまれているといえる。もちろん、マルクスとエンゲルスとがこのあと何十年もかかって完成した科学的社会主義の理論体系からいえば、まだ未熟さがあることは事実であるけれども、エンゲルスの思想形成の重要な道標がここにあるのである。

そういう二重の意味で重要な古典であるこの書物を、すこしでも多くの人びとに読んでもらうために、わたくしたちのこの手引書がいくらかでも役にたつことができれば望外の幸せである。さらに、どうかこの手引書だけに終わらずに、直接に古典そのものをひもとかれるよう期待したい。

出版にあたって図版や索引の作成をはじめ編集上さまざまな御世話をいただいた有斐閣編集部の鹿島則雄氏に心から御礼を申し上げる。

一九八〇年六月

三人の執筆者を代表して

浜林 正夫

目　次

目　　次

目　次

目　次

註　本文中のエンゲルスの著作の引用は、大月書店版『マルクス＝エンゲルス全集』に依り、『全集』と略記した。

著者紹介

浜林　正夫（はまばやし　まさお）

1925年生れ　東京商科大学卒業
現在　一橋大学教授（専攻　西洋経済史）
――第2章，第3章はじめに～6，第4章3

鈴木　幹久（すずき　みきひさ）

1931年生れ　名古屋大学大学院経済学研究科修士課程修了
現在　名城大学助教授（専攻　イギリス労働運動史）
――第3章7～12，第4章4

安川　悦子（やすかわ　えつこ）

1936年生れ　名古屋大学大学院経済学研究科博士課程修了
現在　名古屋市立女子短期大学教授（専攻　社会思想史）
――第1章，第4章1～2

第1章

フリードリヒ・エンゲルスの人と思想

——初期エンゲルスの思想形成——

若き日の F. エンゲルス

はじめに

▽マルクスの共同作業者としてのエンゲルス

フリードリヒ・エンゲルスが『イギリスにおける労働者階級の状態』をライプツィヒの出版社から世に問うたのは、エンゲルスが二五歳になるかならないかの、一八四五年五月のことであった。エンゲルスは、故郷のバルメンでこれを書きあげるやいなや、ドイツ・プロイセンの反動的政治体制を批判する政治的な急進主義者としてどころか、ようやく矛盾をあらわにしつつあったドイツ資本主義を批判する「共産主義者」として、祖国プロイセンをおわれ、ベルギーのブリュッセルにやってきた。すでにプロイセンをおわれてパリに亡命していたカール・マルクスもブリュッセルにきていて、ここでエンゲルスとマルクスは、共産主義の理論と運動のための生涯にわたる協同の道の第一歩をふみだしたのである。

『ドイツ・イデオロギー』(一八四六年、かれらの生きている間には出版されなかった)を書きあげ、『共産党宣言』(一八四八年)を書いたかれらは、ヨーロッパを吹き荒れた一八四八年革命の嵐がおわり、革命の夢に破れて、一八四九年イギリスに亡命した。マルクスはロンドンで、エンゲルスはマンチェスターでと遠くはなれたところで生活しながら、かれらは親密な協力関係を保ちつづけた。資本主義の根底からの批判を目ざして、ロンドンの大英博物館の図書館で文字どおり骨身をけずる研究をつづけたマルクスにたいして、研究の上だけでなく、マルクスとマルクス一家の経済を助けつづけたのはエンゲルスであった。エンゲルスはかれの父親の出資するマンチェスターにある「エルメン・エンゲルス商会」で紡績工場の事務にたずさわり、そこでえた金をマルクス一家におくり、英語のへたなマルクスにかわって、ニューヨークの新聞に数多くの論説を書きつづけたのである。

一八六九年、エンゲルスは、かれのいうマンチェスターでのこの「商売」から手をひき、かれとマルクス一家の当面の生活を支えるには十分な金をえて、ついにロンドンにでてきた。マルクスの家の近くにすみ、文字どおりの協同の生活をはじめたのである。マルクスと同様エンゲルスもここではじめて、政治活動と研究に十分な時間を費やすことができるようになった。『資本論』第一巻を一八六七年にだしたマルクスが、その完成にうちこんでいるとき、エンゲルスは、自然と社会をふくめた世界の運動法則を明らかにするという壮大な目的をはたすことに力をそそぎ、一八七三年には『自然弁証法』の研究をはじめ、一八七七年には『反デューリング論』を発表し、一八八四年には『家族・私有財産および国家の起源』を発表した。

K．マルクス

▽マルクスの死とエンゲルス

一八八三年マルクスは死んだ。マルクスの書きのこした原稿を整理して、『資本論』ののこりの部分の出版をする準備をはじめたエンゲルスは、一八八四年、ジュネーヴに住むかれらの古い友人J・P・ベッカーにあてて次のように書いた。「僕は一生涯自分にむいたことをやってきました。つまり第二バイオリンを弾くということで、この点では自分の役割をかなりによくやってきたつもりです。そして、マルクスのようなすばらしい第一バイオリンをもっていることを、僕は喜んでいました。ところがいま突然に理論上の問題でマルクスの代わりをつとめ、第一バイオリンを弾くことになったのですから、しくじりはまぬかれられません」(一八八四年一〇月一五日、ベッカー宛手紙、『全集』三六巻、一九六ページ)。これは、ドイツをおわれていらい約四〇年間にわたって友人であり、社会主義の理論と運動をつくりあげていく上での共同作業者であったマルクスを失ったあとのエンゲルスの淋しさと同時に、かれなりの気負いをあらわしている。この手紙を書いたときのエンゲルスの主観的意図がどうであれ、マルクスとエンゲルスの弾くバイオリンは、それぞれ固有の音色をもっていた。二つの個性にあふれた音調をもつ*バイオリンが、「マルクス主義」というメロディをかなでるとき、どのような音楽になったか。ときには和合せず、不協和音となって響くこともあったと指摘することは、「マルクス主義」の歴史的有効性を否定することにはならない。思想としてのマルクスとエンゲルスの一体化を否定し、あるいはマルクスに対するエンゲルス伴奏者論を否定し、それぞれの思想の固有性をあきらかにし、その固有性がどのように調和し、あるいはどのように共鳴しあったか、あるいは共鳴しあわなかったかを明らかにすることが、「マルクス・エンゲルス問題」をときあかすうえで重要な点であろう。

＊　エンゲルスとマルクスは、見かけも性格も対照的であった。エンゲルスはいつもきちんとした清潔な服装をしていた。マルクスの方は清潔さにも身ぎれいさにも関心がなかった。筆跡に関していえば、エンゲルスのそれは几帳面で読みやすく、マルクスのものは悪筆で有名であった。

『イギリスにおける労働者階級の状態』は、若いエンゲルスの思想形成において、重要ないみをもつものであった。それは、エンゲルスの「共産主義」思想のほぼ明確な姿がここにあらわれたといういみにおいてであり、エンゲルスに固有な音色が、ここに形成されたといういみにおいてである。この音色は、エンゲルスの晩年にいたるまで失われず、かれの思想を特徴づけるものであった。若い時代の思想形成過程で、それぞれ固有の音色を身につけたエンゲルスとマルクスが、ブリュッセルで『ドイツ・イデオロギー』執筆のための共同作業にとりかかったのは一八四五年のことであった。そこにいたるまでの若いエンゲルスの思想形成過程を追い、かれの固有の音色がどのようなものであったかを明らかにしてみよう。

1　自由をもとめて——バルメンからブレーメンへ

▽エンゲルスの生地ラインラント

大まかにいえば、マルクスもエンゲルスも同じ地方に同じ時代に育った。エンゲルスは一八二〇年、マルクスは一八一八年、どちらもプロイセンのラインラント地方に生まれて育ったの

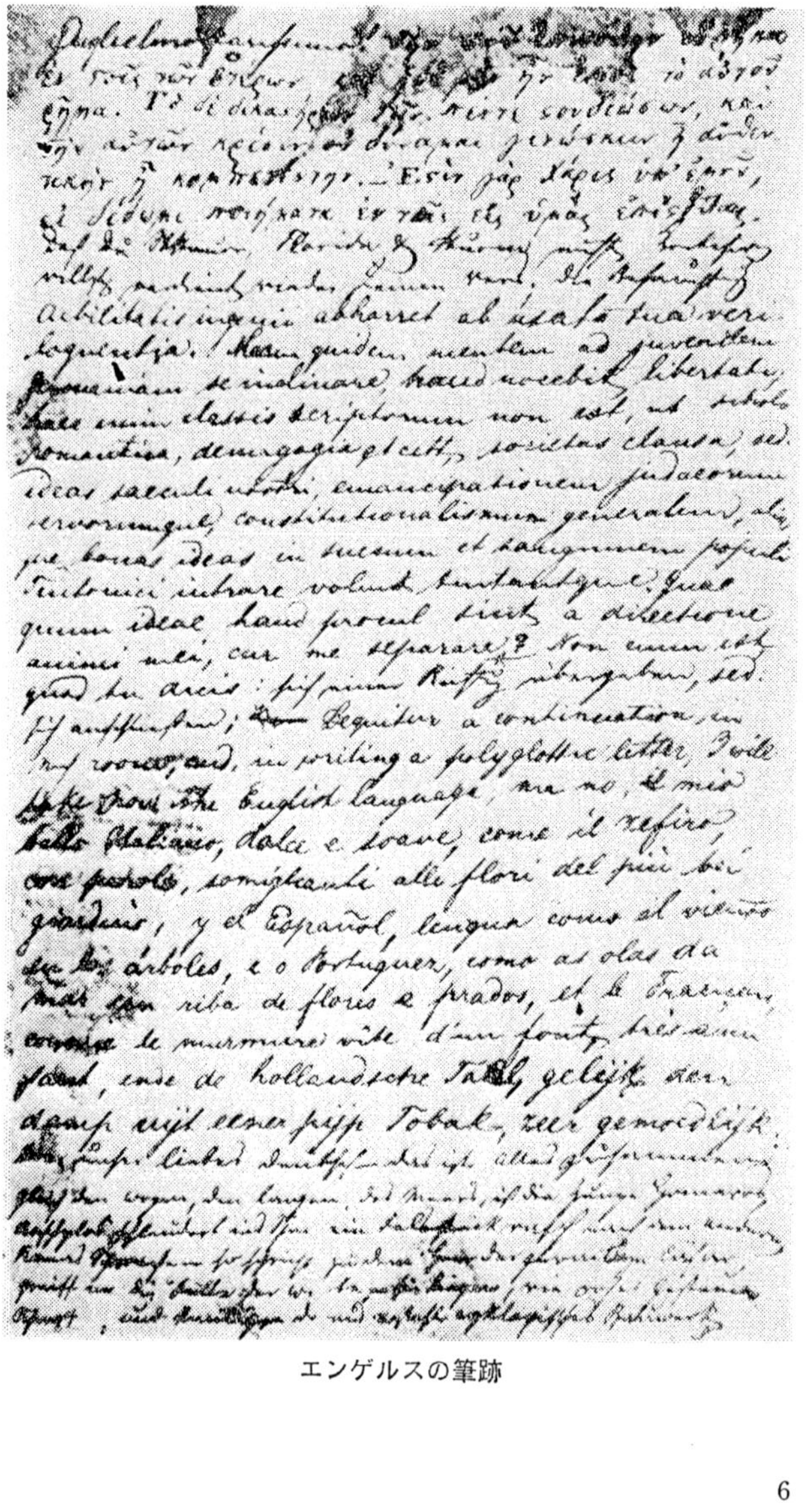

abhorret ab usato tua verba loquendi.

Meam quidem mentem ad juventutem Germaniam se inclinare, haud nocebit libertati; haec enim classis scriptorum non est, ut schola Romantica, demagogia et cett., societas clausa, sed ideas saeculi nostri, emancipationem Judaeorum servorumque, constitutionalismum generalem, aliasque bonas ideas in succum et sanguinem populi Teutonici intrare volunt. Quae quum ideae haud procul sint a directione animi mei, cur me separare? Non enim est,

quod tu dicis:

Sequitur a continuation in my room, and in writing a polyglottic letter, I will take now the English language, ma no, il mio bello Italiano, dolce e soave, come il zefiro, con parole, somiglianti alle fiori del più bel giardino, y el Español, lengua como el viento en los árboles, e o Portuguez, como as olas da mar con riba de flores e prados, et le Français, comme le murmure vite d'un fontaine très amusante, ende de hollandsche Taal, gelijk den damp uijt eener pijp Tobak, zeer gemoedlijk.

エンゲルスの筆跡

である。ラインラントは、フランス革命とそれにつづくナポレオン戦争によってフランスの支配下におかれ、一八一五年、ヨーロッパに「神聖同盟」体制がしかれてプロイセンに復帰するまでの約二〇年間、フランス革命の波につよく洗われたところであった。ラインラントは、ドイツの他のところにくらべれば、政治的にも経済的にも先進地帯であったのである。

エンゲルスの生家

この先進地帯ラインラントのなかでも、産業のもっともすすんだ「小型版イングランド」と評された北部のヴッパー河峡谷にあるバルメンの、綿製品の工場経営者の家に、エンゲルスは生まれた。しかしラインラント南部のフランス国境にちかいトリアで、フランス革命の政治理念の影響をうけ政治的にもっともすすんだ「自由主義」的な雰囲気のなかで、ユダヤ教からプロテスタントに改宗した弁護士の家に生まれたマルクスとは、かなりことなる環境のなかでエンゲルスは育った。

一八二〇年代から三〇年代にかけて、イギリス産業革命のめざましい発展を遠くにみながら、エンゲルス一家のようなラインラントの先駆的な産業ブルジョアたちは、「自由主義」的雰囲気よりは保守主義と宗教的な厳格さをもとめていた。ラインラントを支配するプロイセンの反動的な政治体制は、ドイツ国内市場の統一とイギリスからの保護をもとめるこのドイツ産業ブルジョアにとって、かならずしも矛盾するものだとは思われなかったのである。エンゲルスは、こうした先駆的ブルジョアの政治的な保守主義と、フランス革命のゆきすぎを批判するピエティストの宗教的厳格主義のなかで育った。「聖書のすべてのことばを文字どおりに真実と信じる」非合理主義的なピエティストは、日常生活への厳密な規制を主張するプロテスタントの一派であったが、このピエティストは、エンゲルスの生まれた町バルメンでもっとも力をもっていたのである。この保守主義と宗教的厳格主義から脱出すること、これが若いエンゲルスにとって第一の重要な課題であった。

▽保守主義と宗教的厳格主義からの脱出

バルメンの実業学校を一四歳で卒業したエンゲルスは、隣町のエルバーフェルトにあるピエティストのギムナジウム（高等学校）に入学した。若い経営者として必要な保守主義とピエティスムを身につけさせようとした父親の配慮をうらぎって、エンゲルスは、図書館から『十三世紀の騎士物語』を借りだしてこっそりよみ、父親を嘆かせた。こうしたなかでエンゲルスは自由の抑圧への反感をつよめ、一八三七年ギムナジウムを中退するころには、「自由のための戦い」にあこがれるようになっていた。エンゲルスが学校を中退した理由ははっきりしないが、かれは、厳格なピエティストの教義を守るこの学校をやめることにむしろ「自由」を感じたことはまちがいない。

学校をやめたエンゲルスは、バルメンに帰ってその後一年ほど（一八三七年九月—一八三八年八月）父親の仕事を手伝ったあと、ブレーメンのハインリヒ・ロイポルト商会に商業見習いにでかけた。一八三八年秋から一八四一年春までの約二年半のブレーメン滞在は、若いエンゲルスの思想形成にとって、最初の大きな飛躍の時期であった。

▼「二重」のいみで自由な生活——ブレーメンでのエンゲルス

ブレーメンでのエンゲルスの生活は、二重のいみで「自由な」生活であった。それは、一つは、ピエティストとして日常生活を厳格に律するバルメンのエンゲルスの家から解放されたことであり、それに加えてもう一つは、ハンブルグとともにドイツ最大の貿易港として栄えていた商業都市ブレーメンの「自由」と活気は、他に類をみないものであったが、エンゲルスはこの「自由」な空気を思う存分吸いこんだことである。ロイポルト商会での商業見習いの仕事は、かなり気ままなものであったことが、この当時のエンゲルスの妹宛への手紙のなかからうかがえる。主人の留守を見はからって仕事をサボり、暇をみつけてはビールをのみ葉巻を吸って「荷造場」のテラスにしつらえたハンモックに休憩したり、事務所をぬけだしてヴェーザー河で泳いだりした（一八四〇年八月二〇日、マリー・エンゲルス宛手紙、『全集』四一巻、四七九—八〇ページ）。自分のためにつかえる十分な時間を手に入れたエンゲルスは、日曜日ごとに馬で遠乗りにでかけ、友だちとおそくまで飲みまわったりした。フェンシングをしたり、合唱団で歌ったりもしている。

この間にエンゲルスは外国語を精力的に勉強した。友人にあてた手紙のなかで、かれはユダヤ語、英語、イタリア語、スペイン語、ポルトガル語、フランス語、オランダ語をつかいわけて、その多才さを誇ったりしている（一八三九年四月二八日―三〇日、W・グレーバー宛手紙、『全集』四一巻、四一六―七ページ）。かれが読書の自由を味わったのもこのときからであった。ヤーコプ・グリムの弁明書『ヤーコプ・グリム・彼の解任について』（一八三八年）やゲーテの『若き詩人のために』（一八三一年）をはじめとして、哲学・神学・歴史学・文学などさまざまな分野のものを読んだ。「青年ドイツ派」の文学運動に参加しはじめ、フリードリヒ・オスワルトというペンネームで評論や紀行文を書きはじめた。

▽「ピエティスムと俗物根性」批判

こうした自由で活動的な生活をおくるなかでエンゲルスは、この「自由」のもつ政治的・社会的いみを明らかにしようとしはじめた。それは、バルメンのエンゲルス一家をとりかこんでいる「ピエティスムと俗物根性」と、ドイツを支配している専制政治一般にたいする批判となってあらわれた。「ピエティスムと俗物根性」への批判は、エンゲルスのその後の思想形成の過程で、宗教的懐疑―信仰の放棄という方向に展開され、ドイツ専制政治批判は、ブルジョア民主主義、すなわち政治的急進主義の方向に展開されることになる。

エンゲルスが一八三九年にはじめて新聞に書いた評論「ヴッパータールだより」は、かれの故郷の町バルメンとその隣町エルバーフェルトの社会的・思想的状況を告発したものであった。かれはこの産業の町エルバーフェルトでの下層の労働者のみじめな状態を描きだし、かれらのかかえる問題を指摘しているが、この問題は、のちにイギリスのマンチェスターで貧窮においやられたプロレタリアートをつかまえるときに十分に展開されるテーマであった。将来のかれの思想の展開において主要テーマとなるはずのこのみじめな労働者問題は、ここではしかしちょっととりあげられただけで、もう一つの重要なテーマ「ピエティスム」批判の背景におしやられてしまった。一八三九年春から秋にかけての時期は、エンゲルスがこのキリスト教の「正統主義〔ピエティスムのこと〕を脱ぎすてて」（一八三九年四月二三日付F・グレーバー宛手紙、『全集』四一巻、三九九ページ）、「信仰よさらば」（一八三九年一〇月八日付W・グレーバー宛手紙、『全集』四一巻、四四五ページ）と叫ぶようになる宗教からの解放のときであった。

▽宗教からの解放とヘーゲル歴史哲学

エンゲルスの宗教からの解放の過程は、まず第一に、シュトラウスの『イエス伝』（一八三五〜六年）をよんで、理性と両立しうる神をもとめるようになったことである。かれは神と理性の合一をとく「ベルネやスピノザやカント」の立場を主張する（一八三九年六月一五日付F・グレーバー宛手紙、『全集』四一巻、四二八ページ）ようになる。しかしそのあとすぐに第二段階にすすみ、エンゲルスは、シュライエルマッハーを読んで主観的な立場をとり入れ、神と理性の合一ではなく、神と理性をもとめる人間の信仰心（内なる心）との合一をみとめる主観主義をとくようになる

（一八三九年七月一二日付F・グレーバー宛手紙、『全集』四一巻、四三五ページ）。この主観主義をふまえてエンゲルスは第三段階にまもなくすすみ、一八三九年一〇月には、再びシュトラウス派の合理主義にもどり、神と理性の合一ではなく神からの理性の解放をたからかに宣言するようになる。「僕はいま熱烈なシュトラウス派だ。……信仰よさらばだ！」と。

ブレーメンの自由な空気のなかでエンゲルスは、バルメンでのエンゲルスをとりかこんでいた「ピエティスム」からの解放を、このようにシュトラウスを手がかりにしてなしとげた。信仰をすてたエンゲルスが、それにかわるものとしての理性の具体的中味をつかまえようとしはじめる。その手がかりとみなされたのが、ヘーゲルの歴史哲学であった。「僕はヘーゲルの歴史哲学を勉強しているが、これは壮大な著作だ。僕は毎晩、義務としてこれを読んでいる。巨大な思想がおそろしいくらいに僕を感動させる」（一八四〇年一月二一日付F・グレーバー宛手紙、『全集』四一巻、四六五ページ）と友人に書きおくっている。壮大なヘーゲルの歴史哲学をまえにして、さすがのエンゲルスもすこしばかり手こずっている様子がこの文面から伝わってくる。エンゲルスは、ヘーゲルの歴史哲学をとおして、神の理性への信仰を歴史の理性への信仰におきかえたのである。どのような歴史の理性であったか。歴史の進路についてかれは、一八四〇年はじめ、次のように書いている。「私はむしろ、その旋回の進路があまり正確ではない、自在に線の引かれる螺旋状を主張する。歴史は、目に見えない一点からその進行をおもむろに開始し、この一点を中心にしてゆるやかに旋回する。しかしその旋回の円はしだいに大きくなり、その躍動はますます迅速活発になる。……そして歴史というものが、新しい、明るい思想的星座に向かってまっしぐらに突進しており、この星座がやがては太陽の大きさで、彼らの近視眼をまぶしがらせるだろうことには、気がつかない。歴史のこういう一点に今われわれは立っているのだ」（「時代の逆行的徴候」一八四〇年二月、『全集』四一巻、二五一―六ページ）。歴史は、「新しい、明るい思想的星座」にむかってすすむ一つの運動だととらえたエンゲルスにとって、この「思想的星座」こそが神にかわるものであったのである。

▽ヘーゲル歴史哲学の確信とドイツ専制政治批判

歴史をこう理解したエンゲルスは、これを手がかりにして、ドイツの現実である専制政治批判をはじめた。「新しい、明るい思想的星座」を、当時「青年ドイツ派」がかかげていたブルジョア的自由主義、あるいは政治的急進主義だとみなすとき、プロイセンのフリードリヒ・ヴィルヘルム三世に象徴される反動的政治体制は、否定されるべきものとエンゲルスにはうつった。一八四〇年二月、エンゲルスは友人にあてて書いた。「僕は彼（フリードリヒ・ヴィルヘルム三世）が憎い。……彼は死ぬほど憎い。……わが国王が人間なら、ナポレオンは天使であり、ハノーファー国王は神だ」（一八四〇年二月一日付F・グレーバー宛手紙、『全集』四一巻、四六八ページ）と。この憎むべきプロイセンの専制君主は近いうちにかならず滅びるとエンゲルスは信じた。この確信は、政治的急進主義運動のいみあいをもっていた「青年ドイツ派」による文学運動の力を確信したというよりはむしろヘーゲル歴史哲学へのつよい確信に支えられていた。一八四〇年五月、イギリスに短い旅行をしたとき、エンゲルスが大海原をみて感動し、次のように書きしるしているのをみると、ヘーゲル歴史哲学へのエンゲルスの確信がこのときどのようなものであったかがよみとれる。「あの最後の哲学者〔ヘーゲル〕の神の理念、一九世紀のこの巨大な思想が、はじめて私の前に開けたとき、私をとらえたものはこれと軌を一にする至福の身ぶるいであり、私の胸に吹きつけてきたものは、至純の大空から下界へとひそかに息のはきおろされる、新鮮な海の気の如きものであった。……われわれは神のうちに生き、動き、存在しているのだ！これが海上でわれわれの心に浮かぶ意識である」（「風物」一八四〇年七月、『全集』四一巻、七四ページ）。

こうした歴史へのつよい確信は、来たるべき「星座」への到達を期待やあこがれのなかにとじこめておくことをできなくした。そのための大胆な行動こそが必要だとエンゲルスが自覚するのにそれほど時間はかからなかった。ジークフリートの故郷への旅について書きながら、ジークフリートにことよせてエンゲルスは、自由をもとめて行動を開始するときがきたことを説く。「われわれはみな、ジークフリートを父君の城から飛び出させたのと同じ行動欲、同じ反家柄精神を身うちに感じている。優柔不断、思いきった行動への俗物的懸念は、心底からわれわれのきらうところだ。われわれは、自由の世界へ出てゆくことを欲する」（「ジークフリートの故郷」一八四〇年一二月、『全集』四一巻、一一三ページ）。

2　歴史哲学の獲得——ベルリンの時代

▽ベルリン大学での聴講とシェリング批判

一八四一年春、エンゲルスは、自由をもとめる行動への意欲をつよく内に秘めながら、ブレーメンの生活からはなれてバルメンにもどった。相かわらずの「ピエティストと俗物主義」にとりまかれた窮屈な生活を半年ほどおくったのち、エンゲルスは再びここから脱出する機会をみつけた。一年志願兵として、一八四一年秋ベルリンにでかけることになったのである。数週間の兵舎生活ののち、下宿生活をはじめ、兵役勤務のかたわらふたたび「自由」な生活をエンゲルスははじめた。しかしこの「自由」は、ブレーメンでの「自由」とはことなっていた。ハノーファーにある国際的な貿易都市ブレーメンにくらべれば、プロイセンの首都ベルリンは、はるかに不自由の空気がみなぎる都市であっただろうし、エンゲルスが死ぬほど憎いといったフリードリヒ・ヴィルヘルム三世が死に、開明的な色彩をもって登場したフリードリヒ・ヴィルヘルム四世は、そのみせかけの開明性をすてて、あからさまの反動的政策をとりはじめていた。一八四一年には、わずかにみとめられた政治的「自由」が再び弾圧の炎にさらされようとしていた。劇場やオペラやカフェに出入りする「自由」を手に入れたエンゲルスは、そうした「自由」に埋没しないで、反動的な政治体制への批判の意識をつよめた。ブレーメン時代にへーゲルからえた歴史哲学を武器にしてエンゲルスは、ベルリン大学でヘーゲル批判の講義をしていたF・W・シェリングを批判し、そうするなかでヘーゲルからえた歴史哲学の装置をくみかえ、バウアー兄弟（ブルーノとエドガー）を中心とするベルリンの「青年ヘーゲル派」たちと接触するなかでかれの政治的急進主義思想をねりなおした。創刊されてまもない『ライン新聞』に、エンゲルスの最初の政治評論ともいうべき「北ドイツの自由主義と南ドイツの自由主義」と題する評論がのせられたのは、一八四二年四月のことであった。

ベルリン大学でのシェリングの哲学講義を聴講したエンゲルスは、一八四一年末から四二年はじめにかけて三つのシェリング批判の論文をかいた。かれは、「あらゆる哲学はこれまで世界を理性的なものとして理解することを課題としてきた。ところで、理性的なもの、それはもちろんまた必然的であり、必然的なものは現実的でなければならないか、さもなければぜひとも現実的にならなければならない」（「シェリングと啓示」『全集』四一巻、一九二ページ）とヘーゲル哲学を理解して、これをもとにして、理性的なものと非理性的なもの、あるいは現実的なものとの間の断絶を主張したシェリングを「くたびれた老朽船」（前掲論文、二三七ページ）だと断罪した。

▽「人類の自己意識」の実現としての歴史法則

こうシェリングを断罪したあとで、エンゲルスは、別の港には、フォイエルバッハやシュトラウスという「出港の用意のととのった堂々たる軍艦の一団がいる」ことを指摘する。フォイエルバッハの『キリスト教の本質』（一八四一年）やシュトラウスの『イエス伝』（一八三五―六年）

を、「宗教的諸規定を主観的人間的状態へ還元し」、「神学の秘密は人間学である」という結論に達したものだとエンゲルスは積極的に評価している。神を天上から地上におろし、人間的なものに還元したということに、ヘーゲルにくらべてかれらの新しさをよみとる。ここでのエンゲルスは、基本的にはヘーゲル哲学の枠組みの中にたちながら、古いものとしてのシェリングを批判してヘーゲルを新しいものとし、この新しいものであるヘーゲルを、フォイエルバッハやシュトラウスの人間的観点からみて古いものだとみなした（前掲論文、二三七ページ）。エンゲルスはヘーゲルの歴史哲学の基本的枠組みをそのまま認めながら、シュトラウスやフォイエルバッハをてこにしてその内部構造の部品交換をはかろうとしたのである。ヘーゲルの「絶対理念」は「人類の自己意識」におきかえられるのである。

しかしエンゲルスは、こうすることで歴史哲学＝歴史法則への信頼をますますつよめた。世界史の展開は、「人類の自己意識」の実現の過程であるとみなされ、この実現をめざして、つまり「自由の千年王国をもたらすはずの最後の聖戦にわれわれの命を喜んで賭けるのはわれわれの使命である」（前掲論文、二三九ページ）として、「体も命も、財も血も捧げる」ことが要請された。エンゲルスがブレーメン時代につよく追いもとめた「自由」は、こうした歴史の必然性を意識し、それの実現に命をかけることだとみなされるようになった。「必然性をうちに含むところの自由のみ……が真の自由である」（前掲論文、二三五ページ）というのである。青年ドイツ派の一人であったA・ユングを批判して（「アレクサンダー・ユング『ドイツ現代文学講義』」一八四二年六月執筆）、歴史における「主観的自律性」というユングの主張を否定し、「普遍的理性への主観の従属」を強調している（前掲論文、『全集』一巻、四七四ページ）。

▽「自己意識」の実現の具体的手がかり――ヘスとの出合い

こうした「主観的自律性」ないしは「主観的恣意」に対する批判は、現実の政治問題については、「南ドイツの自由主義」の手ばなしの自由主義、あるいは国際主義に対する批判となってあらわれた。エンゲルスは、すでにブレーメン時代に獲得していた民族統一というナショナリズムと、政治的自由主義の確立というブルジョア民主主義との相互不可分性という論点（「エルンスト・モーリッツ・アルント」一八四一年一月、『全集』四一巻、一二七―三九ページ）を、ここでさらにおしすすめ、プロイセンの反動的政治体制の打倒をとおしての政治的自由主義の実現と、ドイツ統一をとく「北ドイツの自由主義」をたかく評価した。

歴史とは「人類の自己意識」の実現の過程であり、この実現の時期はせまっているとみたエンゲルスは、しかしこのとき、この「自己意識」の実現とは具体的にどういう姿をとるものか、まだよくわかっていなかった。プロイセンの反動体制を否定し、民族統一と政治的自由主義の実現というわばフランス革命のうみだしたブルジョア民主主義国家像が、このときのかれの具体的イメージであった。一八四二年一〇月、ベルリンでの一年間の兵役義務を終えたエンゲルスが、バルメンに帰る途中ケルンにたちより、そこで会ったモーゼス・ヘスは、こうしたエンゲルスの歴史観を旋回させる重大な手がかりを与えることになる。このときヘスは、『ライン新聞』を実質的に支え、「共産主義者」とよばれていたのである。

3 プロレタリアートの発見――マンチェスター時代Ⅰ

▽モーゼス・ヘスの歴史哲学

エンゲルスは、ヘスから何をえたか。

エンゲルスより八歳年上(一八一二年ラインラントのボンに、裕福なユダヤ人商人の家に生まれた)のヘスは、一八三七年に『人類の聖史』をだして、かれ独特の歴史観をうちだしていた。ユダヤ教のもつ独特な宗教的救済感を、スピノザのいう神と自然との合一という思想に結びつけて、ヘスは、人類の歴史をこうした神と自然との合一である「神の国」の実現の過程とみなした。現在の社会を人間と神との分裂の世界だとみなしたヘスは、この分裂を、人間の意識的・合理的な活動によって統一されるべきだと主張した。しかもこの統一の実現した将来の社会を、ルソーを媒介にして「共産主義」社会だとし、そこでは、自由が支配し、調和と平等が実現し、私有財産が廃止されているというのである。

「青年ヘーゲル派」の一人として活動しはじめていたヘスは、一八四一年には『ヨーロッパの三頭政治』をあらわして、ヨーロッパの政治体制を批判し、すでに獲得されていたかれの歴史哲学にしたがって、歴史を、精神的「自由」と社会的「平等」の実現の過程だとみなし、ドイツ宗教改革による精神的自由、フランス革命による政治的自由が実現されたいま、第三の社会的平等のための社会革命がイギリスではじまろうとしている段階であると説いた。こうしたヘスの歴史哲学に、エンゲルスは新しい思想的跳躍の手がかりをみつけた。イギリスのマンチェスターにある父親の出資する会社にでかける決心をエンゲルスにさせた動機の一つは、ヘスのいう来たるべき「社会革命」の国としてのイギリスへの興味であった。

▼イギリスに対する関心

一八四二年一一月末、マンチェスターへの途中でエンゲルスはロンドンにたちより、ここからマルクスの編集する『ライン新聞』にイギリス通信をおくった。この通信を「イギリスでは革命がおこりうるであろうか、またはおこりそうだろうか」という設問ではじめている（「国内危機」一八四二年一二月九日、『全集』一巻、四九七ページ）。イギリスに対するかれの関心の中心はここにあった。この関心をかれはヘスからひきだしたのである。

ベルリンから帰ってイギリスにでかけるまでの短いバルメン滞在のあいだ、エンゲルスはイギリスについての勉強に没頭した。かれは、『ライン新聞』に掲載されたヘスやメヴィッセンのイギリスに関する論文（ヘス「イングランドにおける来たるべき大破局について」一八四二年六月二六日付、メヴィッセン「イギリスの状態」一八四二年九月一三日、一八日、二〇日付）をよみ、競争がもたらす害悪や、大土地や資本の少数者の手への集中、独占などについての予備知識をこの間にえたのである。大革命の到来のふちにたたされているイギリスというイメージをもってロンドンにやってきたエンゲルスは、しかしなによりもまずイギリス人の「いちじるしい落着きと確信とに驚かされ」た（「国内危機についてのイギリス人の見方」一八四二年一二月八日付、『全集』一巻、四九五ページ）。イギリスへのかれの期待と、現実のイギリス人の意識とのずれに気がついたことが、かれをマンチェスターでのイギリス研究へとかりたてることになる。

▽**穀物法廃止運動の高まりの中のイギリス**

かれは、『ライン新聞』に、「国内危機についてのイギリス人の見方」をはじめとする五つの評論*をイギリスに到着して一ヵ月ばかりの間におくった。ヘスにならって、イギリスにおける来たるべき大破局の到来を確信していたエンゲルスは、この到来の必然性をイギリス経済のもたらす矛盾からひきだそうとした。エンゲルスがロンドンについたときは、コブデンとブライトの穀物法廃止運動がたかまっていたときであった。コヴェント・ガーデンでひらかれた一連の反対集会は世論の関心をあつめていた。エンゲルスは、大破局への手がかりがここにあるとみたのである。

＊「国内危機についてのイギリス人の見方」（『ライン新聞』以下同じ、一八四二年一二月八日付）、「国内危機」（一八四二年一二月九日付）、「政党の立場」（一八四二年一二月二四日付）、「イギリスにおける労働者階級の状態」（一八四二年一二月二五日付）、「穀物法」（一八四二年一二月二七日付）。

▽**エンゲルスの見たイギリス資本主義の矛盾**

イギリスは、農業においても天然資源においても貧しい国だということが、今日のイギリスの海運や商工業の発展をもたらす原因であったとエンゲルスは説明している。工業生産のたえざる拡大の必要を、工業立国たらざるをえないイギリスの地理的状況にもとめ、こうしておいて、エンゲルスは、イギリスの工業がその過剰生産のためにみずから破滅におちいらざるをえなくなる事情を説明する。

イギリス工業の過剰生産傾向は、次の二つの要因によって拍車がかかるとエンゲルスはみた。一つは、穀物法をめぐる諸問題である。外国からの輸入穀物に課税するというこの穀物法は、温存されれば国内における穀物の高価格をもたらし、この結果、労働者の賃金は名目的に上昇し、それが工業生産物の高価格としてはねかえる。これは、外国市場でのイギリス製品の競争力を弱くする。また穀物法が廃止されれば外国から安い製品がイギリス国内に流入し、イギリス産業に打撃を与える。これに加えて、第二に、ドイツやフランスなどヨーロッパの後進諸国における工業の発展によって、イギリス製品の市場はますますせまくなりつつある。保護関税をもうけようが撤廃しようがイギリス産業の発展は市場の狭隘化をともなわざるをえない。恐慌は必然であり、これによるプロレタリアートの失業、餓死が普遍的になる。プロレタリアートは絶望のふちからたちあがり、暴力的な革命がおきる。市場の狭隘化による過剰生産恐慌＝労働者の蜂起というコースをエンゲルスはここで「社会革命」の具体的なイメージとして措定したのである。

マンチェスターの「エルメン・エンゲルス商会」で綿糸の生産・販売にたずさわろうとして

いたエンゲルスは、きわめて商人的な眼をもってイギリス資本主義生産をとらえようとしていたことがわかる。商品が「命がけの飛躍」をおこなう場としての市場の問題は、紡績工場を経営するエンゲルスにとっては重要な関心事であった。エンゲルスはこの側面からイギリス資本主義の矛盾にせまったのである。

▼ロバート・オーエンへの関心

過剰生産恐慌を商品の流通過程における矛盾の問題としてつかまえるというこの視点は、エンゲルスをしてロバート・オーエンに親近感をもたせることになった。綿紡績工場の経営者としてのオーエンは、一八一五年の過渡的恐慌にまきこまれるなかで、市場の矛盾を解決するため、生産と消費の計画的な一致をはかる「共同社会」を構想した。エンゲルスが一八四三年六月、スイスの新聞にかいた「ロンドンだより」のなかで、かれは、オーエンを「社会主義の元祖」であり、「かれの見識は包括的である」とたかく評価し、マンチェスターのオーエン主義者の集会に出席し、かれらの活躍の様子をくわしく報じている（「ロンドンだより」一八四三年六月九日付、『全集』一巻、五一七ページ）。生産と消費の不一致、つまり市場の問題を解決するという点で、オーエンの計画は、エンゲルスにとって魅力的であったのである。のちに故郷にかえってエルバーフェルトの名士たちにむかってかれの「共産主義」を説いたとき（一八四五年二月）、「合理的に組織された社会」としてロバート・オーエンの提案にかれは賛成だとのべている。ふたしかな市場にむけてやみくもに競争して生産する資本主義生産の不合理性にたいするいかりは、合理的な経営者の眼としてエンゲルスが死ぬまでもちつづけたものであった。エンゲルスの資本主義批判は、基本的にこの観点からおこなわれたといってもいいすぎではない。*

＊たとえば『空想から科学への社会主義の発展』（一八八〇年）にみられる資本主義生産の矛盾についてのエンゲルスの説明にも、こうした観点が失われているとはいえない。

▽「社会革命」の主体的力としてのイギリス労働者の運動

マンチェスターに住んで半年、エンゲルスは、イギリス労働運動の実際を見聞するにおよんで、社会変革の主体的な力としてのイギリス労働者階級の運動のいみを積極的に評価するようになった。ロンドンについたばかりのとき、エンゲルスは、人民憲章をかかげたチャーティストの運動をみて、かれらの「合法的な方法での革命の理念」を「自己矛盾であり、実際上不可能なことであり、それを実行して彼らは失敗した」（「国内危機」一八四二年一二月九日付、『全集』一巻、五〇一ページ）と評価していた。「平和的方法による革命は不可能事であり、不自然な現存の諸関係の暴力的変革、門閥貴族政治と産業貴族政治の根本的打倒だけが、プロレタリアの物質的状態を改善できる」（同右、五〇一ページ）というのである。

マンチェスターでエンゲルスはかれの関心にしたがって精力的に活躍した。チャーティスト運動の指導者であるJ・リーチ（マンチェスターの全国憲章協会をつくった）や、G・J・ハーニーに会い、オーエン主義者、J・ウォッツのひらく日曜集会に出席し、マンチェスターのアイルランド人の多く住む貧民街に、かれの恋人、メアリ・バーンズやブラドフォードに住んでいたドイツ人G・ヴェールトらとともにでかけていったりした。オーエン主義者の雑誌『ザ・ニュー・モラル・ワールド』や、G・J・ハーニーの主宰するチャーティストの新聞『ザ・ノーザン・スター』に、エンゲルスは大陸の社会改革の状況や社会主義運動についての通信をのせはじめた。このことからもチャーティストやオーエン主義とかれとの関係がきわめて親密であったことは推測できるだろう。

一八四三年五月から六月にかけて、エンゲルスはスイスの新聞に「ロンドンだより」を書いた。この中で、かれはマンチェスターについて約半年間で見聞したイギリス労働者の運動の状況を詳細にしらせている。労働組合のストライキ、チャーティストやオーエン主義者の活躍、D・オコンネルにひきいられたアイルランドの合併反対運動や穀物法反対同盟のひろがりなどについてである。エンゲルスはこれらの運動について報告するなかで、それらの運動のもつ「社会革命」にとっての意義を見なおしはじめる。

▽大陸の社会主義思想の検討

この見なおしのためにはもう一つの手つづきが必要であった。大陸の社会主義思想の検討である。一八四三年夏から秋にかけて、エンゲルスは、フランスやドイツの社会主義や共産主義思想を研究して、『ザ・ニュー・モラル・ワールド』に「大陸における社会改革の進展」と題する論文をかいた。ここで展開された第一の論点は、ブルジョア民主主義のもつ偽瞞性についてであった。フランス革命のもたらした「民主主義」は、「一つの自己矛盾、非真理、根底においては、偽善……にほかならぬもの、なのである。政治的自由はえせの自由であり、可能な最悪の奴隷状態である。それは自由のみせかけであり、したがって隷属の現実なのである」(「大陸における社会改革の進展」一八四三年一一月四日付、『全集』一巻、五二四ページ)。これはこのあと約一年のちにかいた「イギリスの状態」で、イギリスの政治的民主主義批判として展開される論点であった。ここでかれは明確に、ブルジョア民主主義、すなわち政治的解放の限界を指摘したのである。

第二の論点は、フランス社会主義批判である。フーリエとサン・シモンの社会主義について一定のいみをみとめながら、かれらの構想する協同社会が、能力にもとづく享受の不平等をみとめていたかぎりで、私有財産を否定するものでなかったとエンゲルスは批判するのである。かれは、「才能は……自然のえこひいきと考えられるべきであり、したがって、平等をとりもどすためには、才能あるものの分けまえから、控除がなされるべきだ」というベルネの見解に賛意をよせていた(前掲、五二五ページ)。ここでエンゲルスは、プルードンをその私有財産制批判のゆえにつよく共感していた(前掲、五三一ページ)。

第三の論点は、バブーフやカベーらの「秘密結社」による非合法な暴力革命に対する批判である。「秘密結社は、党を不必要な法的追及をうけやすいものにするかぎり、つねに普通の分別に反するのだからである」として反対だとかれはいう(前掲、五二九ページ)。そしてそれにかわって合法的変革の手段への共感がここにうちだされたのである。

第四の論点は、ドイツにおけるヘーゲル左派からでた「哲学的共産主義者」たちへのイギリス社会主義の衝撃の必要についてであった。ヘス、ルーゲ、マルクス、G・ヘルヴェーグらをドイツの「哲学的共産主義者」と名づけ、かれらこそはドイツの将来をになう希望の星だとみながら、そこにイギリスの社会主義者のように、「現実と私利」の問題をとりこむことを訴えた。「われわれは、ほかのどんな党派にたいしてよりもイギリスの社会主義者たちに、ずっと多く同意する。……われわれは、イギリスの社会主義者たちからは、なお多くを学ばなければならないであろう」。なぜなら「実践に関連し、社会の現状の諸事実に関連するすべてのことにおいて、われわれは、イギリスの社会主義者たちが、われわれよりずっとさきに進んでいてほとんどなにものこしたものはないということを、知っている。そのうえ、あえていえば、ほとんどすべての問題について私と意見が一致するイギリスの社会主義者たちに、私は会っている」(前掲、五三九ページ)と。

「大陸における社会改革の進展」は、オーエン主義者の雑誌に書いた論文だったとはいえ、エンゲルスがこの時点で、イギリス労働者階級の思想と運動の先進性をたかく評価していたことは明らかである。この四つの論点からあきらかなように、エンゲルスはイギリス労働者階級の実態的把握をてこにして、政治的急進主義、あるいは観念的共産主義から革命的共産主義へ急速に旋回しはじめた。それは、イギリスのプロレタリアートが、なにはともあれここで具体的につかまえられたからである。

4 「自由主義経済学」批判への眼――マンチェスター時代Ⅱ

▽古典経済学を手がかりとした資本主義分析へ

貧困にあえぎ、はげしい労働運動を展開する具体的なプロレタリアートは、イギリスの歴史と社会のなかでどのような存在であったのか。そしてこうしたプロレタリアートをうみだすイギリスの社会はどのような構造をもつものなのか。イギリスの哲学者T・カーライルとイギリス古典経済学とくにA・スミスを手がかりにして、エンゲルスはこの問題を解くことに手をつけはじめた。一八四三年末から四四年はじめにかけて、エンゲルスは、「国民経済学批判大綱」、「イギリスの状態（カーライル『過去と現在』）」、「イギリスの状態　Ｉ　一八世紀」「イギリスの状態　Ⅱ　イギリスの憲法」を書きあげた。はじめの二つの論文は、一八四四年二月『独仏年誌』に発表され、あとの二つの論文はそれから半年ほどのち一八四四年八月から一〇月にかけて『フォアヴェルツ』に発表された。

「国民経済学批判大綱」でエンゲルスが明らかにしようとしたことは、イギリス古典経済学との対決をとおして、資本主義生産のしくみと、その矛盾を明らかにすることであった。一年まえイギリスについたばかりのエンゲルスは、イギリス資本主義の矛盾を過剰生産―市場の狭隘化―恐慌―失業という流通論的視角で考えていた。このいみでエンゲルスの資本主義分析はきわめて皮相なものであった。ところがいまかれは、古典経済学を手がかりにして、資本主義の内部構造分析への眼を獲得しはじめたのである。

アダム・スミスの「自由主義経済学」を重商主義批判のゆえにたかく評価しながら、エンゲルスは、そのもつ不徹底さと二面性をあきらかにし、批判しようとした。スミスを経済学上のルターであるとみて、そこにプロテスタント的偽善を、エンゲルスは読みとるのである。「君たちは地球のすみずみを文明化したが、それは君たちのいやしい貪欲をくりひろげる新天地を手にいれるためであった。君たちは諸国民を親睦させたが、それは泥棒の親睦のためであった。そして戦争を少なくさせたが、それは平和なときにそれだけ多くもうけるためであり、競争という不名誉な戦いを極端にまでおしすすめるためであった」(「国民経済学批判大綱」『全集』一巻、五四八ページ)。エンゲルスは、スミスら「自由主義経済学」は、重商主義の独占を否定して「自由貿易」をせまったが、しかしこれは私的所有の普遍化をいみし、独占の拡大・深化をもたらすことになったと指摘する。競争は、人々の国民性も共同性も解体させ、孤立し、敵対する諸個人のみをうみだす。「共同利害の最後の痕跡である家族」の解体さえもたらしつつある。これらの一切の害悪の原因は、競争による個人的利害の追求、すなわち私的所有そのものにある。エンゲルスは古典経済学の研究をとおして、資本主義経済のかなめをこのように把握したのである。

▼資本主義の矛盾の源泉としての「競争」

「競争」こそは、資本主義経済の一切の矛盾をうみだす源泉である。商品の「生産費」価値から「効用」価値をひきはなし、これらをゆがんだものにする。「競争のもちこむ効用は偶然や流行や富者の気まぐれに左右され、競争のもちこむ生産費は需要と供給との偶然の関係に応じて上下するのである」（前掲、五五二ページ）。「競争」は、労働を資本と土地から分離させ、「自分の身を売るという不道徳」（前掲、五五五ページ）を労働におしつける。労働者の賃金は、「生産に対する労働の分け前をはかる確固たる尺度」としての「労働の生産物」ではなく、「競争によって決定される」（前掲、五五七ページ）。

生産物すなわち商品の価値決定にも、労働者すなわち労働力商品の価値決定にも、こうして競争が入りこみ、このことから一切の不合理・矛盾が生まれてくる。商業恐慌は、こうした「無意識的な無思想的な偶然の支配にまかされた方法で生産をつづけ」た結果であった（前掲、五五九ページ）。かつて恐慌の原因を市場の狭隘化にもとめたエンゲルスは、いまここで、その市場の狭隘化をうみだす真の原因を資本主義生産の推進力たる「競争」にもとめたのである。資本対資本、労働対労働、土地対土地の競争は、それにうちかつために、それぞれあらん限りの力をふりしぼらせることになり、その結果「生産を高熱状態にかりたてる」（前掲、五六〇ページ）。だから、過剰生産傾向は、イギリスの地理的特殊性（工業立国としての途をとらざるをえないという）によるものでも、外国市場の狭隘化という外的要因によってもたらされるのでもなく、資本主義生産の内在的要因——私利につきうごかされた競争——によってもたらされたものだとされる。こうして過剰生産＝恐慌が特殊イギリス的なものから解放されて、資本主義に普遍的なものととらえられることになる。生産に対する消費もおなじく競争の渦になげこまれて、偶然にまかされる。「万人の万人にたいする闘い」、これこそが資本主義生産の矛盾の根源である。資本主義生産の内部構造に眼をむけながらエンゲルスはこう結論したのである。

▽合理的な経営者の眼

しかしかれは、競争のもたらす生産力の発展を、競争ときりはなして積極的にみとめようとした。「資本は日ごとに増大し、労働力は人口とともに増加し、科学は日ごとにますます自然力を人間に従属させる。この無限の生産能力は意識的にかつ万人のために使用されるならば、人類に課せられる労働をたちまち最小限に軽減するであろう。競争にまかせられてもそれは同じことをするが、しかしそれは対立の内部でおこなわれる」（前掲、五六一ページ）。生産力の圧倒的な増大は、スミスが分業の発展にあると指摘したように、資本主義生産＝資本主義的分業と協業によってもたらされるものであった。エンゲルスはここで、この圧倒的生産力の発展あるいは具体的にいえば産業革命のもたらした機械による生産力の増大を、資本主義生産とはきりはなされて展開する自然成長的な、そのいみで客観的なものだとみなしていることがよみとれる。こうしたエンゲルスの眼が、のちにマルクスと共同執筆した『ドイツ・イデオロギー』における自然成長的分業（と協業）の発展を歴史発展の推進力とみなす「唯物史観」をうみださせることになるのだが、分業（と協業）は、自由競争を介して資本主義的生産力の体制をつくり出すというスミスの指摘を見落とさせ、競争を廃しての生産と消費の安易な調整、計画化をいみするオーエンの共同社会計画に同意させることにもなった。自然成長的に客観的に発展する生産力に対する阻害要因としての競争をとりのぞくという発想が、ここでのエンゲルスにもオーエンにも共通していた。これはまだ合理的な経営者の眼ともいえるものである。

こうしたエンゲルスの経営者的な眼は、それにもかかわらず一年まえのそれとはちがうものであった。資本主義社会を内面から支える労働者階級の存在構造への眼がここに獲得されているからである。『独仏年誌』にのせたもう一つの論文「イギリスの状態（カーライル『過去と現在』）」は、カーライルを手がかりにして、それをはたそうとしたものである。

▽資本主義社会における人間の疎外状況

一八四三年出版されたばかりのカーライルの『過去と現在』をよんだエンゲルスは、カーライルの文明批判に大きな刺激をうけた。過剰な富のもとでの人々の餓死。神への信仰は追いはらわれ、そのかわりに拝金教がもちこまれる。人間関係は助けあいではなく、敵対と現金払いの関係になる。物質が王座にすわり、精神は破壊される。労働の高貴さは失われ、人々の間には、孤立感と敵対、貧困と無秩序と不満がゆきわたっている。カーライルはこう指摘したあとでこれを解決するためには、天才＝英雄による「労働の組織化」が必要であると結論する。エンゲルスは、カーライルの『過去と現在』の主張をこう紹介しておいた上で、カーライルのもつ汎神論的な英雄崇拝を批判しながら、カーライルの文明批判をうけいれる。

カーライルの眼でイギリス古典経済学を読んでみると、ここからは、資本主義社会における人間の疎外状況がうかびでてくる。エンゲルスは、労働者は「自分の身を売るという不道徳」をおしつけられているとして、労働力の商品化を事実上つかみ、かれらの孤立化、敵対化、非人間的な存在状況をいきどおりをもって指摘しているのである。誇張していえば、これまで失業と貧困のなかで餓死しかかっているものとしてのプロレタリアート、いわば「社会革命」の素材として客観的な眼でつかまえられていたプロレタリアートに対して、ここでは、プロレタリアートの人間的なあるいは主体的な側面への眼があらわれている。ものとして扱われるプロレタリアートの主体的な怒りへの共感があらわれているといいかえてもよい。しかしこの共感は、エンゲルスのこの論文に刺激されたマルクスが、古典経済学の研究をとおしてひきだした共感——「疎外された労働」として展開される（『経済学哲学手稿』一八四四年四月から八月にかけて執筆）——とくらべると、その人間的なものの回復への強烈な志向という点で弱いものであった。合理主義的な経営者の眼、あるいは生産力の客観的な発展の法則性への信頼の眼がエンゲルスのもう一方を支えていたからである。

この発展の法則性への信頼は、歴史法則に対する信頼でもあった。「歴史は、われわれにとって唯一にしてすべて」であり、歴史のうちに「人間の啓示」をみる（「イギリスの状態（カーライル『過去と現在』）」『全集』一巻、五九九ページ）というかれの歴史哲学が、イギリスの歴史、とくにプロレタリアートの成立の歴史の研究にエンゲルスをむかわせたのである。このカーライル論について一八四四年二月から三月にかけて書いたエンゲルスの二つのイギリス研究の論文は、その具体的あらわれであった。

▽イギリスについてのエンゲルスの現状認識

かれはイギリスの現状を、ここ七、八〇年来「社会革命」のまっただ中にあると規定した。「一七世紀のイギリス革命」はフランス革命の先駆としてつかまえられ（「イギリスの状態　I　一八世紀」一八四四年八月三一日付、『全集』一巻、六〇八ページ）、「産業革命」（前掲、一八四四年九月七日付、六一七ページ）の開始とその革命的な結果が指摘された。かれは、この「産業革命」こそが資本主義的諸矛盾をうみだす原動力であったことをみとめる。「イギリスの工業のこの革命化は近代イギリスのすべての諸関係の基礎であり、社会的運動全体の推進力である」（前掲、六二〇ページ）。この産業革命は、圧倒的な生産力の増大をうみだしたが、同時に利害関係のみが人間を支配する社会をうみだし、富を「少数の富裕な資本家が独占」し、「労働者」の資本家への隷属をうみだした。歴史的過程のなかでこうした階級利害の対立と、労働者の普遍的非人間化がうみだされてきたというのである。

歴史的に形成された労働者の普遍的非人間化は、歴史的に解消されねばならない。「社会革命」は、この解消、すなわちプロレタリアートの失われた人間性の回復の過程である。エンゲルスは、現代の歴史をこうみなした。イギリスでは、この失われた人間性のとりもどしの過程がはじまっている。こう認識したエンゲルスは、イギリスのこのとりもどしの過程の具体的な検討に入る。

イギリスのプロレタリアートの政治的存在状況はどうか。ブルジョア革命の歴史をもつイギリスの憲法は、アメリカを含めて世界でもっとも「自由」なものであると一般にみとめられている。エンゲルスは、「イギリスの状態 II イギリスの憲法」と題して、イギリスのブルジョア民主主義のもつ偽瞞性をここで詳細にあきらかにする。出版の自由、集会・結社の自由、人身保護法、裁判における陪審制などの具体的な項目をあげて、これらの自由や権利が、イギリス憲法では慣習法にみとめられたものであり、形式的なものにすぎないとかれはことば鋭く指摘する。この形式における民主主義から実質をうばいとる原因は、「私的所有」であるとした。「富者に対する貧者の闘いは、民主主義の基盤、一般に政治の基盤の上ではおわりまでたたかいぬくことはできない」(「イギリスの状態 II イギリスの憲法」一八四四年一〇月一六日付、『全集』一巻、六四九ページ)とかれはいうのである。真の民主主義、すなわち「社会的民主主義」は、「私的所有」の廃止、あるいは階級の廃止によってのみ実現されるものであった。

▼**社会変革の主体的契機**

マルクスもすでに『独仏年誌』(一八四四年二月)にのせた「ユダヤ人問題」において、エンゲルスと同じ論旨の主張をしていた。人間的解放は、ブルジョア民主主義国家による政治的解放ではなく、資本主義＝拝金教からの解放でなければならないと。エンゲルスもブルジョア民主主義の偽瞞性をとく点でマルクスとかわらなかったが、マルクスがまだ人間的解放の道筋も、になない手も具体的につかみえなかったのにたいして、エンゲルスには、具体的なイギリスのプロレタリアートがあった。すなわち、チャーティスト運動を展開し、社会主義運動を展開している具体的な労働者階級がエンゲルスには目の前にいたのである。チャーティストの要求する「人民憲章」は、それ自体ブルジョア民主主義の徹底をいみするにすぎず、貧者の富者にたいする闘い、すなわち「社会革命」の実現をいみしないが、この労働者階級の政治的急進主義運動を「一つの過渡」だとみなし、かれは次のようにのべた。「この過渡はなお試みるべき最後の純政治的な手段であって、そこからは、ただちに一つの新しい要素が、あらゆる政治的事物をのりこえた一原理が、発展してくるにちがいない。この原理とは、社会主義の原理である」(前掲、六四九ページ)と。チャーティスト運動は、「社会革命」への橋わたしをする積極的な政治手段の一つであるとみなされたのである。

二〇ヵ月にわたるイギリスでの生活のなかで、エンゲルスは、第一に、「産業革命」と大工業をとおして発展してきた歴史的な段階としてのイギリス資本主義を把握し、第二に、資本主義社会の中で生みだされるプロレタリアートを具体的につかまえ、その歴史的役割をつかみだし、第三に、そうすることでこれまでのきわめて観念的な社会革命観(恐慌—失業—暴力革命)を旋回させて、プロレタリアートの歴史的営為のうちにその変革の主体的契機をもとめようとする視点を獲得した。これはブルジョア民主主義への幻想をはぎとり、しかも、それにもかかわらずそれが、「社会革命」への積極的な手段だとみなすことでもあったのである。

5 ドイツにおける社会革命――ふたたびバルメンにて

▽ドイツの社会状況

一八四四年八月、エンゲルスはマンチェスターでの商売見習をおえてバルメンに帰った。この帰国の途中、パリに亡命していたマルクスを訪ね、一〇日間ほどマルクスと生活をともにし、ここでエンゲルスは、のちにマルクスとの共著として出版される『聖家族』の一部分になるブルーノ・バウアー批判の原稿を書きのこした。これから約半年あまり、すなわち一八四五年四月、ブリュッセルに追放されるまで、エンゲルスは、バルメンにとどまって、「共産主義者」としての活動をはじめた。急速に変わりはじめたこのドイツの先進的産業地帯を、イギリスのマンチェスターとかさねあわせてとらえ、かれは、ドイツにおける「社会革命」の途を模索しはじめた。

「僕が去ってから、ヴッパータールはすべての点で最近の五〇年間を凌ぐ進歩をした。社会の風潮はより文明的になってきた。政治への関心、反対派気分は一般的だ。産業は急激な進歩を遂げ、新しい市区が建設され、森林は尽く伐り拓かれてしまった。そして、いっさいの事物がドイツ文明の水準以下よりもむしろ以上になっている。四年前にはまだはるかに水準以下だったのに。——要するに、ここにはわれわれの原理のためのりっぱな地盤が用意されている」（一八四四年一〇月上旬、マルクス宛手紙、『全集』二七巻、六ページ）。エンゲルスはマルクスへの最初の手紙に、バルメンの様子、つまりドイツの社会的状況をこのように書きしるした。ここでのプロレタリアートについても、「労働者たちはもう数年前から旧文明の最後の段階に到達していて、彼らは非行や強盗や殺人の激増をもって古い社会組織に抗議している。……そして、もし当地のプロレタリアがイギリスのそれと同じ法則に従って発展するならば、彼らも、やがては、このような個人として暴力で社会秩序に抗議するやり方が無益だということがわかり、人間として彼らの一般的な資格において共産主義によって抗議するでしょう。この連中に道を示してやることができさえすれば！」（前掲、六—七ページ）とのべて、粗野で暴力的ではあるがかれらが舞台の主役として登場しつつあることが期待をもって描かれている。すでに一八四四年の六月には、シュレージエンで織布工が暴動をおこしていた。マンチェスターから帰ったばかりのエンゲルスの眼には、ドイツにおける資本主義の急速な発展とプロレタリアートの登場が、イギリスのそれと二重うつしになってみえたのである。

▽『イギリスにおける労働者階級の状態』の執筆

こうした状況のなかで、エンゲルスは二つの仕事にうちこんだ。一つは、「共産主義の実現の可能性」を示すため『イギリスにおける労働者階級の状態』を書き上げることであり、もう一つは、ちょうどケルンにいたモーゼス・ヘスとともに、この地方で、「共産主義」をひろげる運動をはじめることであった。このエンゲルスの二つの仕事は、またかれの周囲をとりまく「不快な」家庭環境から逃避することに役だち、またそうした環境から脱出する一つの手段だとも考えられていた。

バルメンでは、父親の会社で働くことをしぶしぶみとめたエンゲルスであった。しかしかれは、「……まだろくに働かないうちからいやになった。商売はあまりにも不快だ。バルメンも不快だし、時間の浪費も不快だ。そして格別いやなのは、ただ単にブルジョアであるだけでなく、そのうえに工場主であり、実際にプロレタリアートに面と向っているブルジョアであるということだ。おやじの工場での数日は、僕がいくらか忘れていたこの不快さを再び目の前に持ってくるという結果になった。もちろん、僕の算段では、しかるべきあいだだけ商売をやって、それからなにか警察の気に入らないものを書き、うまく国境脱出ができるようにするつもりだった。だが、それまでの我慢ももうできない。もしイギリス社会の不快きわまる事件を毎日僕の本のなかに書きとめておく必要がなかったら、さだめし僕はもういくらか腐っていたのだろうけれど……。そして物さえ書かなければ、共産主義者でも外観上はブルジョアであり貪欲な商人でありうるでしょう。だが大仕掛けに共産主義の宣伝をやりながら同時に商売や工業をやるということは、できないことだ。とにかく、復活祭にはここを出ていく」（一八四五年一月二〇日、マルクス宛手紙、『全集』二七巻、一八ページ）。このようにマルクスに書きおくって、計画どおり、一八四五年三月には、『イギリスにおける労働者階級の状態』を書きあげ、四月にはベルギーのブリュッセルにいるマルクスのところへ、エンゲルスは喜んで追放された。一八四五年二月にひらかれたエルバーフェルトでの「労働者福祉協会」の主宰する集会で、エンゲルスは「共産主義」を擁護する演説をおこない、予定どおり警察の追及をうける身となったからである。「ブルジョアであり貪欲な商人である」生活から解放され、「ドイツの俗物」の一人になる生活から脱出することにエンゲルスは成功したのである。[*] 一八四五年五月、ライプツィヒで出版されたエンゲルスの最初の著書『状態』をかれはブリュッセルでうけとった。

＊　エンゲルスがこの「ブルジョアであり貪欲な商人である」生活を、マンチェスターでふたたび生活の資のためにはじめたのは、一八五〇年一一月であった。

▽共産主義の実現を目ざして

エルバーフェルトでひらかれたこの地の名士たちと共産主義者たちの討論集会でのエンゲルスの演説は、すでにマンチェスター時代に獲得された「共産主義」思想を、ドイツ的状況に適合させようとしたものであった。この討論集会が、この地でのブルジョアを含めた支配階級を相手にしていたという事情もあって、かれは、ここでは、ブルジョア経営者の合理性に訴えるという姿勢をつよめている。「今日のブルジョア社会の本質」を、「競争」にもとづく不合理性と浪費にあると説き、「合理的に組織された社会」としての「共産主義社会」の必要を強調する（「エルバーフェルトにおける二つの演説」『全集』二巻、五六三—八ページ）。そして、このための具体的な提案として「イギリスの社会主義者ロバート・オーエンの提案に私は賛成したい」（前掲、五七二ページ）とのべている。この共同社会における生産の組織化だけでなく、たとえば共同住宅による暖房の集中化、家事労働の共同化などの例をだして、その合理性が説かれている。生産と消費の合理性ということが、ドイツのブルジョアに対する「共産主義」説得のポイントとみなされたのである。

▼上からの社会改革

こうした「共産主義」を実現するのにどうしたらよいか。エンゲルスは、ドイツの現状をふまえて具体的な方策―社会革命の道をつぎのように提示している。ドイツでは、生産のブルジョア的発展も、その中からつくりだされるプロレタリアートの運動も、最近急速に発展しはじめているとはいえ、イギリスにくらべればまだ未成熟であった。こうした現状認識の上にたってエンゲルスは、「実践上の共産主義に導かずにはおかない三つの方策」を実施することが、さしあたっての必要であると説いた。第一の方策は、国家の費用による普通教育によって、「教養あるプロレタリアート」をつくりだし、かれらの階級的自覚をうながし、「社会の平和的改造に必要な平静さと分別」をつくりだすことというのであった。第二の方策は、救貧制度を改革して、失業者をコロニーに収容し、そこに合理的な労働組織をつくることであり、第三の方策は、これらの改革を実行するための一般的累進課税制度をうちたてることであった。

イギリスにおいて、チャーティストの主張する政治的民主主義運動を社会革命の手がかりとしてみとめたエンゲルスは、ドイツでは、国家による国民教育と失業者救済という改良主義的方策がその手がかりだと主張する。「社会革命は、金持にたいする貧乏人の公然たる戦争である」（前掲、五八二ページ）として、放っておけばそれは流血の闘争になるだろう。これを妨ぐための、つまり「社会制度の暴力的で流血的な変革を防止することのできる諸方策」は一つしかない。「共産主義を平和的に実施するか、すくなくともそれを準備することである。だから社会問題の流血の解決をのぞまないなら……それなら諸君、真剣に、偏見を去って、社会問題を研究しなければならない。……各人が自己の人間的本性を自由に発展させ、隣人たちと人間的な関係をたもって生活できるような、また彼の境遇が暴力的にくつがえされることを懸念せずにすむような、そういう状態を万人のためにつくりだすことが問題となっているのだというこ とに、考えをいたすべきである」（前掲、五八三―四ページ）。

金持にたいする貧乏人の流血の闘争のおそれを説き、それを阻止するために、上からの社会改革をおこなうこと、これがエルバーフェルトの支配階級にむかって説いたエンゲルスの平和的な「社会革命」であった。『イギリスにおける労働者階級の状態』を書いた主要な動機の一つは、流血の闘争のふちにおいこまれているイギリスのプロレタリアートの惨状を、ドイツの支配階級にしらせることであった。そしてまた、この本の序文を英語で書いたのは、この「イギリス人のみごとな罪状目録」をしらせるため、その抜刷りを「イギリスの政党幹部や文筆家や議員たちに」おくるためであった（一八四四年一一月一九日付マルクス宛手紙、『全集』二七巻、一〇ページ）。

若いエンゲルスの思想形成の歩みは、敬けんなキリスト教徒でブルジョア経営者であったエンゲルスの父親からの離脱の過程であり、それは同時にバルメンの町からの脱出の過程であった。こうした過程のなかで、エンゲルスは、キリスト教への信仰をすて、社会発展の歴史意識を獲得し、資本主義社会の不合理・非効率にたいする批判をおこない、「社会革命」の平和的な途の手がかりをつかまえた。エンゲルスの「共産主義」思想の大まかな枠組みと道具だては、このようなものとしてとのえられたのである。こうした思想的舞台装置のうえに、ブリュッセルでのマルクスとの共同作業が開始されたのである。

（安川 悦子）

第2章

エンゲルスの時代と社会

19世紀中葉のマンチェスター

1　イギリス産業革命

▽一九世紀中葉のイギリス

エンゲルスがはじめてイギリスへ渡ったのは一八四二年一一月のことであった。それから約二年間、かれはマンチェスターでかれの父が出資していた紡績工場で商人としての修業をつむことになるが、その間、かれはマンチェスターだけでなくその周辺の工業都市（オールダム、ロッチデール、アストンなど）や、さらに隣のヨーク州のリーズ、ブラドフォードや、さらには遠くロンドンにまで足をのばし、当時のイギリスの状態をじっさいに観察した。さらにかれは自分の目でみるだけでなく、当時のイギリスの労働者の状態について書かれた各種の報告書や書物をよみあさり、労働者の集会へもでかけ、精力的にイギリスの経済と社会、とりわけ労働者の状態について学んだのである。そしてこの見聞と研究のなかから、本書『イギリスにおける労働者階級の状態』と、そして社会主義者エンゲルスとが生まれたことは第1章でのべたとおりである。

そこでまず、エンゲルスが見聞した当時のイギリスがどういう状態にあったのかをみてみよう。

いうまでもなく、一八四〇年ごろのイギリスといえば、世界最初の産業革命をすでに達成し

	(単位　千ポンド)	主要な発明
1700年	1,083	
10	66	
20	1,809	
30	1,468	ケイ，飛梭（1733）
40	1,464	ポール，ローラー紡績機（1733）
50	2,254	ハーグリーヴズ，ジェニー紡績機（1764）
60	1,741	ワット，蒸気機関（1764）
70	3,246	アークライト，水力紡績機（1769）
80	6,553	クロンプトン，ミュール紡績機（1779）
90	30,604	カートライト，力織機（1785）
1800	51,594	
10	124,000	
20	120,000	
30	248,000	ロバーツ，改良力織機（1825）
40	459,000	
50	588,000	

第1表　原綿消費量（1700―1850）

終えて、機械制大工業を確立し、「世界の工場」として全世界を経済的に支配しようとしていたときであった。このイギリスの産業革命そのものについては、すでに多くの書物によって語りつくされているし、第3章でもふれるので、ここではあまり詳しくのべる必要はあるまい。ただいくつか重要な点を列記しておこう。

▽**綿織物工業を中心とする生産の拡大**

第一に、イギリス産業革命の中心となったのは、周知のように綿織物工業であるが、綿糸・綿布の生産量の統計が一九世紀以前にはないので、おおよその傾向をしめすものとして原綿消費量の推移をあげると第1表のとおりである。

この表からあきらかなように、一七六〇年までは季節的変動を除けば原綿消費量は

	毛織物輸出額（単位　千ポンド）	銑鉄生産量（単位　トン）	石炭生産量（単位　千トン）	国民総生産（単位百万ポンド）
1700年	2,542		2,148	48.0
10	3,543			
20	3,059	25,000		
30	3,468			
40	3,057			
50	4,320		4,774	
60	5,453			
70	4,114		6,205	130.1
80	2,614	68,300（1788年）		
90	5,093	125,080（1796年）	7,619	
1800	6,918		10,080（1795年）	232.0
10	5,774			301.1
20	4,364	398,000		291.0
30	4,900	677,417		340.0
40	5,800	1,396,400		452.3
50	10,000	2,249,000	64,700（1854年）	523.3

第2表　生産の増大

ほぼ横ばいであるが、その後、急速に上昇カーブをえがき、一七八〇年代には五倍近くにふえ、一八〇〇年から五〇年間に一〇倍以上の増加をしめした。参考までに綿工業にかんする主要な発明を右の欄に付記しておいたが、機械の発明による生産増大のテンポは第1表から一目瞭然であろう。綿工業ほどではないにしても、その他の産業（毛織物、製鉄、石炭など）においても生産の増大はめざましく、国民総生産も一九世紀前半の五〇年間にほぼ倍増している（第2表参照）。

▽労働生産性の上昇

第二に注意すべき点は、このような生産のめざましい増大が、その生

	生　産　量 (単位 百万ポンド)	雇用労働者数 (単位　千人)	1人あたり生産量 (単位　ポンド)	1ポンドあたり労賃 (単位　ペンス)
〔綿　糸〕				
1819—21年	106.5	110	968	6.4
1829—31	216.5	140	1,546	4.2
1844—46	523.3	190	2,745	2.3
1859—61	910.0	248	3,671	2.1
〔綿　布〕				
1819—21	80.6	250	324	15.5
1829—31	143.2	275	521	9.0
1844—46	348.1	210	1,681	3.5
1859—61	650.8	203	3,206	2.9

第3表　綿工業における生産性の上昇

産に従事する労働者のいちじるしい増加をともなっていないこと、換言すれば、生産の増大は労働者一人あたりの生産量のいちじるしい増加によってもたらされた、ということである。それこそまさに機械の発明という技術革新の生みだしたものであった。たとえば、第3表にしめされるように、綿糸の生産量は一八二〇年ごろから一八六〇年ごろまでの間に約九倍にふえているが、雇用労働者数は同じ期間に二倍強にしかふえておらず、したがって労働者一人あたりの生産量は四倍近くもふえ、綿糸一ポンドあたりの労賃は三分の一に低下した。綿布の場合には生産量が約八倍にふえているのに雇用労働者数はむしろ減少し、一人あたり生産量は約一〇倍にふえ、綿布一ポンドあたり労賃は五分の一以下に低下しているのである。この当時の綿工業以外の産業についてはこういう数量的なデータは存在しないが、しかし同じような労働生産性の急上昇がみられたであろうことは容易に想像される。そしてこ

(1) 使用台数					
	1819年	1829—31	1835	1844—46	1850
手織機	240,000	225,000	—	60,000	—
力織機	14,000 ~15,000	80,000	108,210	225,000	247,190

(2) 労働者数（単位　千人）						
	1810年	1820	1830	1840	1850	1860
工場労働者	100	126	185	262	331	427
手織工	200	240	240	123	43	10

第4表　綿織物業における手織工の残存

のことがイギリス産業の世界制覇を可能としたもっとも基本的な条件であったことはいうまでもない。

▽機械制大工業の拡大と家内工業の残存

しかし第三に注意すべき点は、以上のような機械制大工業の成立による生産力の飛躍的な発展にもかかわらず、イギリスのすべての産業がいっきょに全面的に工場制へ移行したと考えるのは誤りである、ということである。産業革命を主導した綿工業においてさえ、紡績部門ではすでに一八一一年にミュール紡績機が紡錘数で全体の九〇パーセントを占めるにいたっていたけれども、織布部門では力織機の普及には約半世紀を必要とし、これに対抗する手織機および手織工が最終的に没落したのは一八四〇年代のことであった。その間、手織工たちは低賃金だけを唯一の武器として、力織機との競争に耐えていたのである（第4表参照）。それ以外の産業においても、家内工業的な生産はかなり根づよく存在しつづけた。一九世紀前半の労働運動のなかでもっとも戦闘的であったもののひとつにロンドン郊外の絹織物工があるが、この産業の場合には紡績部門にあたる撚糸部門は、一八二〇年ころに工場制へ移行したものの、織布部門の機械化は綿布よりさらにおくれ、一八六〇年以降になってようやく本格化したのであった。絹織物工以外でも、当時の労働運動やチャーティズムなどの政治運動を支える大きな柱となったのは、仕立工とか、建築工とか、製靴工とかという職人的な労働者であったのである。ふつうイギリスの産業革命は一八三〇年ごろをもって終了するといわれているが、それは主導産業部門における工場制の確立と、一八二五年にはじまる周期性経済恐慌の開始とを指標としていわれていることであって、家内工業的形態はそれ以後もかなりの期間、残存するのである。

▽前近代的労働条件

第四に注意しておきたい点は、工場制の内部においても、あるいは鉱山などにおいても、賃労働関係はまだ完全で近代的なものになりきっていないということである。その前近代性は、たとえば綿紡績工場における二重雇用制にしめされる。すなわちここでは紡績工はその補助労働力として児童を雇用し、糸がきれたときの糸つなぎの仕事や糸屑ひろい、機械の手入れなどをおこなわせていたのであって、エンゲルスの書物のなかにしばしばあげられている過酷な労働をしいられている児童たちの直接の雇用者は、工場主ではなく紡績工だったのである。工場の規模もそれほど大きくなく、一八三四年ランカシャの一五一工場についてみると、労働者数二〇〇人以下がその半数（七五工場）を占め、八割（一二一工場）までが労働者五〇〇人以下である。賃金の支払形態は出来高払いであって、綿糸一ポンドについていくらというようにきめられていた。しかもこの一ポンドあたりの支払額はミュール紡績機の大型化にともない引き下げられていったので、生産性の向上は賃金の増加をもたらさず、むしろ賃金の減少につながる傾向があった。この時期の紡績工のストライキは大部分が新しい賃金率の導入による賃金引下げにたいする反対としておこっているのであり、紡績工にたいする賃金引下げが間接的にかれらの下に雇用されている児童にたいする過酷な労働を結果したのである。

前近代的な労働条件は、とくに石炭業においていっそう顕著であった。スコットランドでは一七九九年にいたるまで炭鉱労働者は奴隷的な状態におかれていて、炭鉱が売買されるときにはその付属物として労働者もいっしょに売買されるという状態であったが、イングランドの北部地方でも一九世紀の中ごろまで年ぎめ契約制度がおこなわれており、仕事があってもなくても、一年間は特定の炭鉱主以外のところへ働きにいってはならないという拘束をうけていた。賃金はやはり出来高払い制であって、炭坑夫はこの制度のもとに家族ぐるみで生産をうけおい、父親が先山をつとめ、母親や子どもが石炭の運搬などの補助労働に従事するのがふつうであった。議会の調査委員の質問にたいして、一七歳の女子が「わたくしは七年間石炭運搬をしています。それは恐ろしいつらい仕事です。わたくしがやりたくてやっているのではありません。これは両親の命令なのです」と答えているのが、石炭産業における搾取のしくみを雄弁に物語っているといえよう。工場制がひとりでに近代的な労使関係をつくりだすと考えるのは大きな誤りであって、工場制は前近代的な搾取方式をとりいれつつ成立したのである。これをうちこわすのには、労働者階級による長いたたかいが必要だったのであり、工場制はそういうたたかいの前提条件をつくりだしたという意味においてのみ、近代的な労使関係の創出に寄与したといえよう。

2 社会構成の変化

以上が産業革命の直接的な諸結果であるが、しかし産業革命はたんに鉱工業における技術革新という意味にとどまるものではない。それはそのことをつうじて社会構成や階級構造にも大きな変化をもたらしたのであって、だからこそ、政治的な意味においてではないけれども、それは「革命」とよばれるのである。それでは産業革命が生みだした社会的な変化とはどのようなものであったのか。つぎにこの点をみてみよう。

▽産業革命による社会構造の変化

産業革命による社会構造の変化は、(1)農林漁業の相対的地位の低下と鉱工業の比重の増大、(2)これにともなう階級構成の変化、(3)人口の都市集中の三点にもとめることができるであろう。

まず第一点については、産業別国民所得の比率から確認することができる。すなわち、第5表からあきらかなように、農林漁業の所得は一八世紀後半の四五パーセントからしだいに低下し、一八一〇年代に鉱工建設業に追い越され、一八五一年には約二〇パーセントに、一八八〇年代

サービス	家　賃	公　務	海外からの収入	総　計
7.4(15)	2.5(5)	3.3(7)	—	48.0
14.9(11)	4.0(3)	5.7(4)	—	130.1
12.8(5.5)	12.2(5.3)	36.8(15.8)	—	232.0
15.7(5.2)	17.2(5.7)	48.1(16.0)	—	301.1
16.6(5.7)	17.9(6.2)	38.1(13.1)	3.0(1.0)	291.0
19.2(5.7)	22.0(6.5)	39.3(11.6)	3.9(1.1)	340.0
26.9(6.0)	37.0(8.2)	43.6(9.6)	6.2(1.4)	452.3
27.4(5.2)	42.6(8.1)	59.0(11.3)	10.4(2.0)	523.3
35.0(5.2)	50.3(7.5)	69.7(10.4)	19.9(3.0)	668.0
45.5(5.0)	69.4(7.6)	81.3(8.9)	39.5(4.3)	916.6
51.7(4.9)	89.1(8.5)	103.9(9.9)	59.5(5.8)	1,051.2
70.6(5.5)	104.0(8.1)	123.8(9.6)	94.3(7.3)	1,288.2
78.5(4.8)	134.2(8.2)	175.5(10.7)	106.5(6.5)	1,642.9

ふくむ。

所得（単位百万ポンド，カッコ内は百分比）

には一〇パーセント以下に低下するにいたるのである。鉱工業の比重の増大についてもこの表からあきらかであって、とくに説明を必要としないであろう。国民所得の産業別構成比でみるかぎり、イギリスは一八一〇年代に農業国から工業国へ転化したといえるのである。

それではこれにともなって階級構成はどのように変化したのであろうか。階級構成の推移を直接にしめす数字は存在しないから、まず産業別の労働構成をみてみよう。それは第6表のとおりである。この表では絶対数と百分比とを別の資料からとっているので数字のあわないところもあるが、おおよその傾向はあきらかである。すなわち、ここでも農林漁業従事者の比率はしだいに低下し、一八一〇年代に鉱工建設業に追い越され、一九世紀末

	農林漁業	鉱工建設	商　　業
1688年	19.3(40　)	9.9(21　)	5.6(12　)
1770	58.2(45　)	30.3(24　)	17.0(13　)
1801	75.5(32.5)	54.3(23.4)	40.5(17.4)
11	107.5(35.7)	62.5(20.8)	50.1(16.6)
21	76.0(26.1)	93.0(31.9)	46.4(15.9)
31	79.5(23.4)	117.1(34.4)	59.0(17.3)
41	99.9(22.1)	155.5(34.4)	83.3(18.4)
51	106.5(20.3)	179.5(34.3)	97.8(18.7)
61	118.8(17.8)	243.6(36.5)	130.7(19.6)
71	130.4(14.2)	348.9(38.1)	201.6(22.0)
81	109.1(10.4)	395.9(37.6)	241.9(23.0)
91	110.9(8.6)	495.2(38.4)	289.6(22.5)
1901	104.6(6.4)	660.7(40.2)	383.0(23.3)

(注) 1688, 1770年はイングランドとウェールズ, 1801年以降はスコットランドを

第5表　産業別国民

には一〇パーセント以下にさがっている。この点でもイギリスは一八一〇年代に工業国へ転化したといえるであろう。

しかしこのような産業別労働力構成の変化は、ただちに階級構成の変化をあらわすものではない。たとえば第6表で農林漁業従事者としてしめされている人びとのうちには、地主も自作農も農業資本家も農業労働者もふくまれているのであって、階級構成からいえば別の分類が必要となるのである。鉱工建設業などについても同じことがいえる。とくにイギリスの場合には、農業においても資本主義的な生産関係が全面的に展開され、農業従事者の多くの部分が農業労働者によって占められるようになっていたので、産業別分類によって農業従事者を一括してしまうことは階級構成という視点からいえば誤解をまねきやす

	農林漁業	鉱工建設業	商業・運輸業	公務・自由業	家事・召使	有業人口計
1801年	170(35.9)	140(29.7)	50(11.2)	30(11.8)	60(11.5)	480
11	180(33.0)	170(30.2)	60(11.6)	40(13.3)	70(11.8)	550
21	180(28.4)	230(38.4)	80(12.1)	30(8.5)	80(12.7)	620
31	180(24.6)	300(40.8)	90(12.4)	30(9.5)	90(12.6)	720
41	190(22.2)	330(40.5)	120(14.2)	30(8.5)	120(14.5)	840
51	210(21.7)	410(42.9)	150(15.8)	50(6.7)	130(13.0)	970
61	200(18.7)	470(43.6)	180(16.6)	60(6.9)	150(14.3)	1,080
71	180(15.1)	530(43.1)	230(19.6)	70(6.8)	180(15.3)	1,200
81	170(12.6)	570(43.5)	280(21.3)	80(7.3)	200(15.4)	1,310
91	160(10.5)	650(43.9)	340(22.6)	100(7.1)	230(15.8)	1,470
1901	150(8.7)	770(46.3)	360(21.4)	130(9.6)	230(14.1)	1,670

第６表　労働力構成の推移〔単位　万人，（　）内は百分比〕

いといわなければならない。そこでまず農業についてもうすこしこまかくみてみよう。

第６表では農林漁業従事者は一八〇一年で一七〇万人と推定されている。このうち，漁業，林業というのはごく少数で，せいぜい数万人であろうから，一六〇万人以上が農業であるが，そのうち農業労働者はどのくらいの数を占めていたのであろうか。この推定はかなり困難であるが，すでにこの当時，少数の地主への土地集中がおこなわれて，自作農はイングランドでは一〇万世帯ぐらいに減少し，耕地の八〇パーセントまでは資本家的借地農の手中にあったといわれていることと，一八五〇年ごろの農業労働者が約一三〇万人と推定されていることから考えると，一八〇〇年当時にもすでに一〇〇万人前後の農業労働者が存在したと考えることができるであろう。ただしこのような農業における資本－賃労働関係の展開は，産業革命の結果というよりはむしろその前提ともいうべきものであって，自作農の減少が産業革命に先だつ一八世紀前半から一八世紀末にかけていちじるしかったことは、周知のとおりである。

鉱工建設業についてはどうであろうか。ここでは、さきにのべたように、なかば職人的な家内労働者と工場労働者とを数的に区別して確定することは困難であるが、問屋制の支配下におかれた職人的家内労働者をも労働者階級のうちへふくませるとすれば、鉱工建設業従事者の圧倒的大部分は労働者と考えてよい。一八一二年についてのパトリック・カフーンというロンドンの役人の推定では、製造業と建設業の資本家は八万八、二五〇世帯、製造業と建設業に従事する職人と労働者は一〇二万一、九七四世帯とされている。これはアイルランドをふくめた数であり、また鉱業をふくめていないので先の数字とは対応しないけれども、鉱工建設業従事者の圧倒的大部分（おそらく九〇パーセント）が職人および労働者であることをしめしている。工場労働者数は一九世紀の前半にはそれほど多くなく、さきの第3表、第4表でしめしたように、綿紡績で一八二〇年ごろに一一万人、一八四五年ごろに一九万人、綿織物で同じく一一万人から二六万人という程度であり、毛織物工業で一八五〇年ごろに約八万人、石炭産業で一八四一年に一一万八、〇〇〇人、製鉄業で同じく約三万人といわれている。したがって一八四一年にもなお鉱工建設業従事者三三〇万人のうち、工場労働者はせいぜい六、七〇万人、鉱業労働者・土木労働者を加えても一〇〇万人程度と推定され、なかば職人的な家内労働者が労働者全体の三分の二ぐらいを占めていたのではないか、と推定される。しかしもちろん、工場労働者

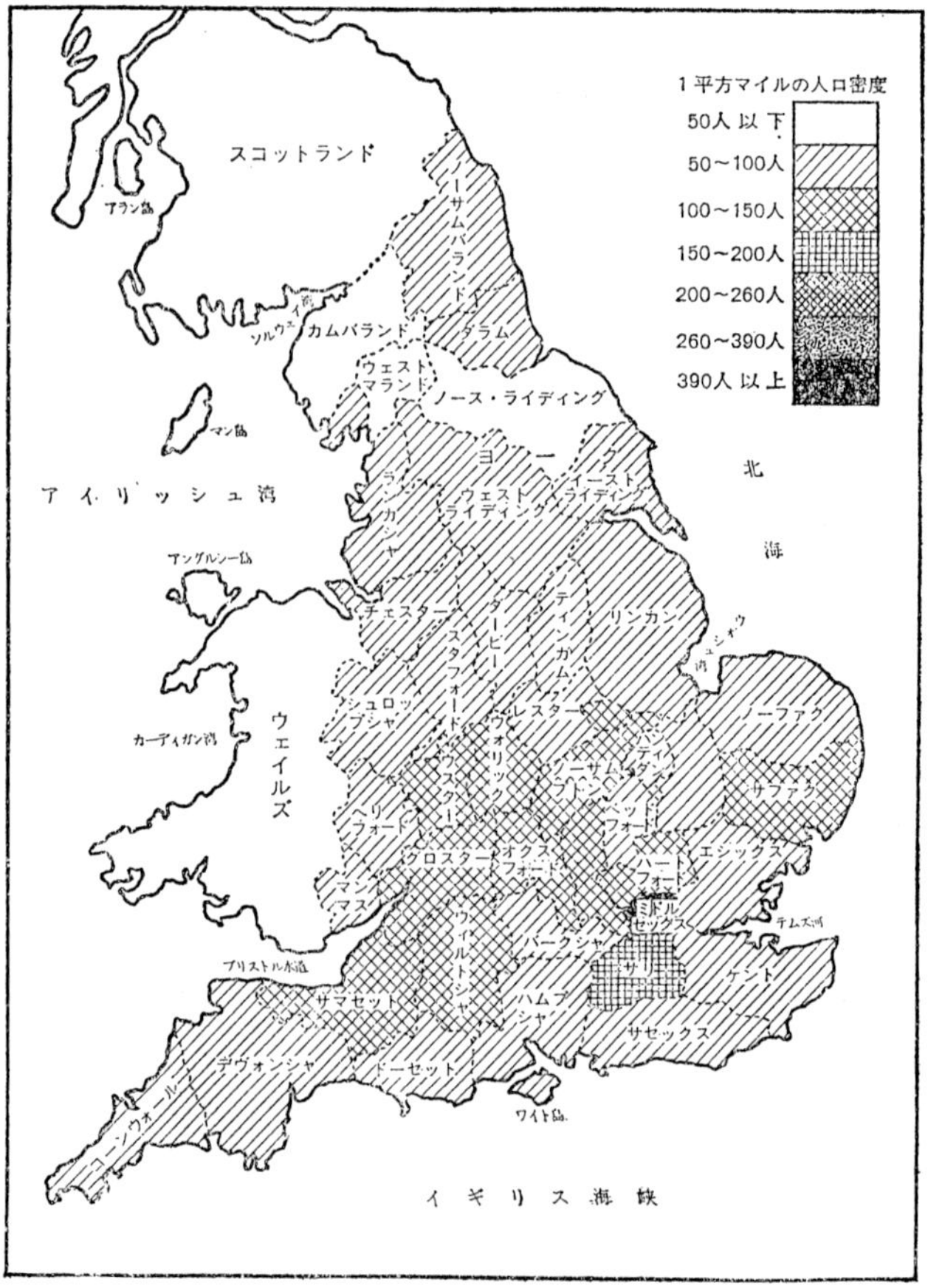

（資料）　P. Mantaux, *The Industrial Revolution in the Eighteenth Century*, 1961.

第1図　イギリスの人口分布（1700年頃）

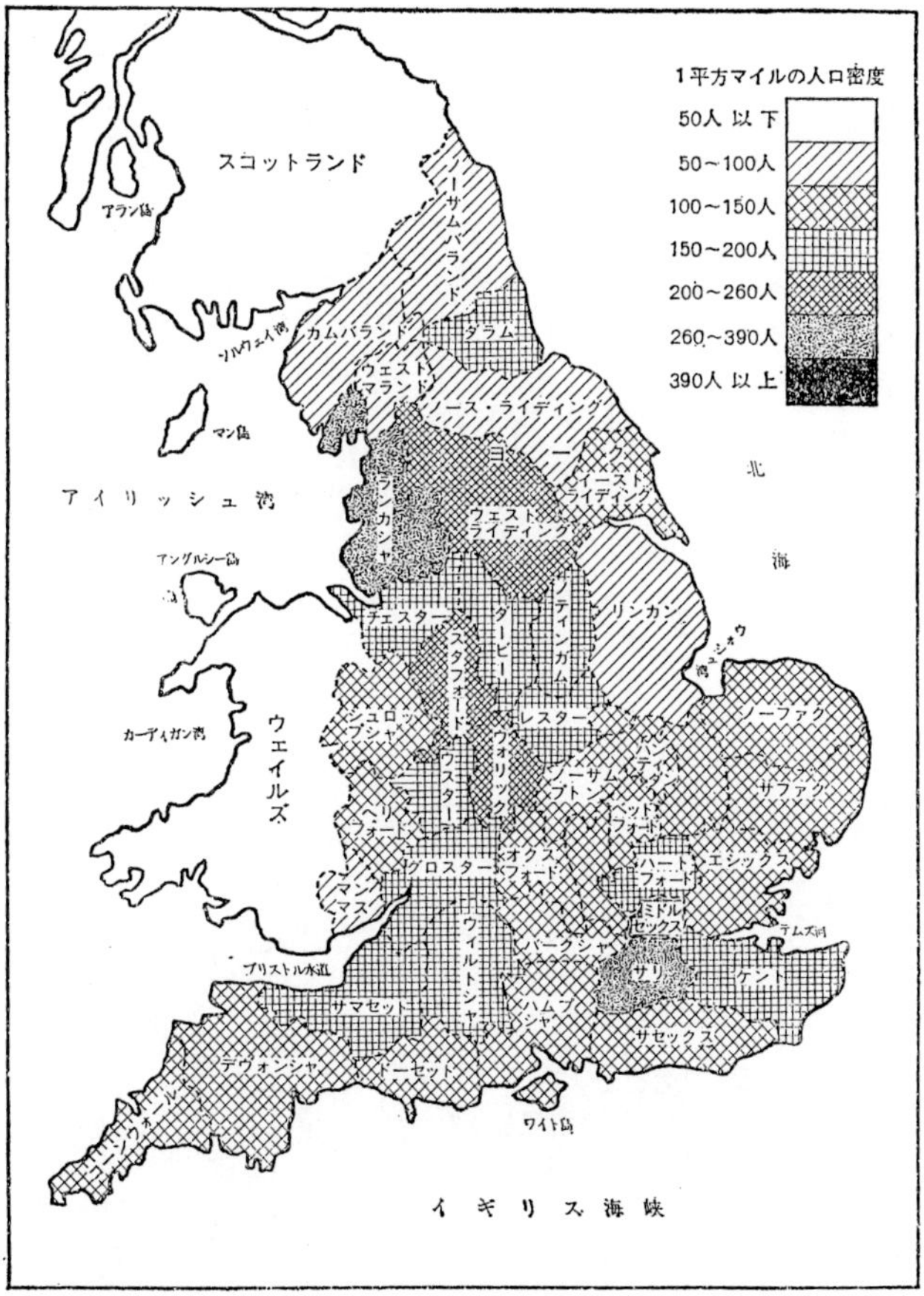

（資料）　第1図に同じ。

第2図　イギリスの人口分布（1801年頃）

の数が急速にふえつつあったことはいうまでもない。

いずれにせよ、農業労働者、家内労働者、工場労働者をふくめて考えれば、一九世紀のはじめに有業人口数の半分近くはすでに労働者であり、一九世紀中ごろには過半数に達していたとみて間違いはないであろう。

▽**人口の都市集中**

産業革命が生みだした第三の社会的な変化は、人口の都市への集中であった。イギリス（スコットランドを除く）の人口は一八世紀のはじめには約五八〇万人と推定され、一八世紀の中ごろまでほぼ六〇〇万人と横ばい状態にあったが、一七五〇年代から人口の急増がはじまり、一七〇年には七〇〇〇万人をこえ、九〇年には八〇〇〇万人をこえ、一九世紀にはいったときには九〇〇万人をこえていた。一八四一年にはそれが一、五九〇万人にたっしていたが、こういう人口急増のなかにあってとくに人口増加のいちじるしかったのは工業地帯である。もともとイギリスでは、南東部が人口密度が高く、北西部が人口密度が低かったのであるが、産業革命期に北西部で工業が発達したためにこれが逆転するのである（第1・2図参照）。しかもそのなかでも工業都市の人口増加はいちじるしいものがあった。第7表は一八〇一年から一八五一年の間に人口が三倍以上になった都市の一覧表である。このほかにロンドンが一八〇一年の一〇八万人から一八五一年には二四九万人へと約二・五倍の膨張をしめしているが、一八五一年に人口が二〇〇万人をこえている都市はヨーロッパにはひとつもなく、第二位のパリが一〇五万人、

	1801年	1811	1821	1831	1841	1851	50年間の増加率
ブライトン	7	12	24	41	47	66	9.4倍
ブラドフォード	13	16	26	44	67	104	8.0
プレストン	12	17	25	34	51	70	5.8
サルフォード	14	19	26	41	53	64	4.8
リヴァプール	82	104	138	202	286	376	4.6
オールダム	12	17	22	32	43	53	4.4
マンチェスター	75	89	126	182	235	303	4.0
ウルヴァハンプトン	13	15	18	25	36	50	3.8
ダービィ	11	13	17	24	33	41	3.7
ボルトン	18	25	32	42	51	61	3.4
バーミンガム	71	83	102	144	183	233	3.3
ストックポート	17	21	27	36	50	54	3.2
リーズ	53	63	84	123	152	172	3.2

第7表　人口増加のいちじるしい都市（単位　千人）

第三位のペトログラードが四八万人であったから、ロンドンがいかにとびぬけて大きな都市であったかがわかるであろう。これらの都市の人口急増はもちろん自然増のみによるものではなく、農村部からの移住によるものであったが、それはたんにイングランド内部のみの移住にとどまるものではなく、アイルランドからの移住をふくむものであった。

▽人口の急増とアイルランド人の移住

アイルランドは一八〇一年にイングランド、ウェールズ、スコットランドと合併し、連合王国を形成したのであるが、一七世紀いらいイングランドによる征服と収奪にさらされ、アイルランド人はたえざる貧困と飢餓のうちにおかれていた。このため故郷を捨ててイングランドへわたり、そこで最下層の低賃金労働者となるという人口流出現象がおこり、すでに一七三六年

最下層労働者を形成したアイルランド移民

にロンドン郊外でアイルランド人排斥の暴動がおこっているほどであったが、一九世紀にはいると人口流出はますますはげしくなり、一八四一年に八〇〇万人をこえていた人口が、五一年には六五五万人に、九一年には四七〇万人へと減少してしまったほどであった。一八五〇年代以降のアイルランド人の移住先は主としてアメリカであったが、それ以前はおもにイングランドであり、最高時（一八五一年）には約七〇万人（のちにのべるようにエンゲルスの推定では一〇〇万人）のアイルランド人がイングランドに住みついていたといわれる。かれらの多くはロンドンと産業革命の中心地ランカシャに住み、アイルランド人街とよばれるスラムを形成し、イギリス人の半分ぐらいの低賃金で労働に従事していた。さきにのべたランカシャの手織工もその多くはアイルランド人であり、ほかに行商人とか、鉄道建設の土木事業とかという非熟練労働がかれらの主要な働き口であった。またかれらはしばしばスト破りに利用され、このためイギリス人労働者とのあいだで衝突をくりかえしていた。

エンゲルスが本書のなかで「アイルランド人の移住」を労働者階級の貧困のひとつの原因としてあげているのはこのためであるが、しかしこのアイルランド人労働者のなかからジョン・ドハティやファーガス・オコンナーのような労働運動あるいはチャーティスト運動の指導者があらわれてきたことも見逃すことはできない。

▽産業革命の生み出した歪み

ともあれ、わずか五〇年の間に一〇〇万都市から二五〇万都市へ急成長をとげたロンドンや、この間に人口が三倍にも四倍にもふえたマンチェスター、リヴァプール、バーミンガムその他の工業都市では、住宅をはじめ都市の生活環境の整備はとうてい人口増加に追いつくことはできなかった。マンチェスターやバーミンガムは、一〇万人以上の人口をもちながら、行政上は一八三八年にいたるまで市ではなく、村であったのである。政府が都市行政の改革にようやくのりだしたのは一八三五年の「都市改革法」が最初であり、この改革の効果が都市の生活環境整備にまでおよんできたのは一九世紀の後半になってからであった。エンゲルスが見聞していたイギリスは、産業革命という経済の急成長が生みだした歪みにみちみちていたのである。

3　同時代人の観察

こういうイギリスの状態をみていたのは、もちろんエンゲルスひとりであったのではない。

エンゲルスは原著のなかの「イギリスの労働者階級によせる」という献辞のなかで、イギリスのブルジョアたちはイギリスの労働者階級の状態について話したがらず、この「屈辱的な状態を文明世界に報道するという仕事を一外国人にまかせてしまった」とのべているけれども、イギリス人のなかにも当時のイギリスの労働者の状態を告発した人はたくさんいたのである。ただそれは当時のブルジョア階級ではなく、むしろこれと対立する人びとであり、多くは政治的にトーリ派に属する人びとであった。このことはエンゲルス自身もみとめていることであって(たとえば「初版への序文」の末尾にそのことがのべられている)、エンゲルスの付した注のなかにも当時の文献がかなりあげられている。

しかしそれではこの当時の人びとはどういう視角からイギリスにおける労働者階級の状態をみていたのであろうか。それはエンゲルスと同じような視角、同じような展望にたつものであったのであろうか。この点を検討することによって、エンゲルスの分析と展望の独自性が明確になると思われるので、以下、エンゲルス以外の同時代人の観察について、そのおもなものをとりあげてみよう。

▽労働者自身の無知と道徳的退廃——ケイ・シャトルワース

まず、ケイ・シャトルワース。かれはエディンバラ大学の医学部の出身で、一八二七年にマンチェスターの貧民街で医者をはじめ、そのなかで見聞した様子を一八三二年に『マンチェスターの綿工業に雇用されている労働者階級の精神的肉体的状態』というパンフレットにまとめた。このパンフレットはエンゲルスのこの書物のなかでもしばしば引用されており、またエンゲルスはこのパンフレットについて「著者は工場労働者と労働者階級一般とを混同しているけれども、これはすぐれた書物だ」と注記している。ケイはのちに一八三四年に改正された新救貧法のもとで救貧行政にたずさわり、『被救済貧民児童の訓練について』(一八三八、三九年)という報告を書き、貧民教育について提言をしたことでも有名である。

ケイは、イギリスの議会による調査報告が一般的な叙述をおこなっているのみで正確さに欠けるとし、多くの統計数字を用いてマンチェスターの労働者の悲惨な状態を具体的にえがきだしているのであるが、しかしかれの基本的な立場は、「ここにあますところなく暴露された害悪は、けっして工業制度の必然的な結果なのではなく、別の、あるいは偶然的な、原因によるものであり、賢明なやり方によって完全に除去しうるものである」という点にあった。かれは商工業の発展が巨大な富をつくりだし、したがって社会のすべての人びとの生活を豊かにしうるはずだと確信し、それにもかかわらず労働者階級が悲惨な状態におとしいれられているのは、むしろ労働者自身の無知と道徳的退廃にその原因があると考えたのである。生産力の低い段階においては、人びとの欲望にも限度があり、それぞれの人が慎ましい生活で満足している。しかし生産力が発展し、商品が豊富になると欲望もひろがり、人びとは慎しみを忘れて身をもちくずし、欲望がみたされないと暴動をおこしたり打ちこわしに走ったりする。とくにまだ文明化されていないアイルランド人が工業化されたイングランドへ大量に流入したことは、道徳的退廃の大きな原因となった。これがケイの現状認識であった。したがってかれの対策は労働者の知的道徳的水準を高めること、つまり教育にむけられることとなる。教育によって労働者が暴動にたちあがることもなくなるだろうと、ケイは考えたのであった。

▽救貧法改正に対するケイの支持

一八三四年の救貧法改正は貧民にたいする補助をうちきり、救貧施設においてのみ貧民救済をおこなうという救貧行政の合理化政策であったので、労働者の側からははげしい反発をこうむった。しかしケイはこの改正を支持した。ケイにとっては貧民にたいする補助は「不節制と怠惰」を助長するものにほかならなかったのである。むしろ貧民を労働者として陶冶することこそ必要なのであり、それを地区学校という形においてまず貧民児童の訓練からはじめようというのが、さきにふれた『被救済貧民児童の訓練について』というかれの報告書の狙いなのであった。

なおケイは、当時の労働運動の中心課題のひとつであった労働時間の短縮にも反対であったことをつけ加えておこう。現状での労働時間短縮は経済界に混乱をおこすというのがその理由であった。「通商上の負担をとりのぞき、普遍的な教育制度を導入することなしに、労働時間の大幅な短縮を提案している政治的な思弁家たちは理論的幻想にまどわされているように思われる」とケイはいい、現在の労働時間でも健康に有害ではない、とするのである。こういうケイの考え方や、かれが新救貧法を支持したことについて、かれは当時の社会改良家（たとえばジョン・フィールデン）によって批判をうけたのである。

▽長時間労働や不健康による道徳的退廃――ピーター・ギャスケル

つぎにピーター・ギャスケル。この人物の経歴については詳細は不明であるが、一八二八年に王立イギリス外科医師会のメンバーとなり、紡績工場町であったストックポートの付近で開業していたらしい。エンゲルスが利用しているのは一八三三年に出版された『イギリスの製造業人口』という書物で、この本は一八三六年に『職人と機械』と改題されて増補版がだされている。一八四一年に三五歳で死亡、そのときはロンドンに住んでいたという。エンゲルスはこのギャスケルとその著書について、自由党派ではあるが客観的な観察者であり、工場制度の害悪に目をつぶっていないと評価し、個々の点については注意して利用すべきだが全体としてはよい書物だ、とのべている。

ギャスケルの考え方のひとつの大きな特徴は、工場制以前の家内工業の時代を「黄金時代」として美化していることである。そこでは人びとのあいだの身分秩序もきびしく守られ、社会の中枢を占める地主や自作農が社会生活の模範をしめしていた。こういう身分的調和と道徳的節度の社会が工場の出現によって破壊されてしまったのである。「蒸汽機関のひとつの大きな結果は労働者をいっしょにあつめたこと」であり、そしてそのことによって家庭が破壊されたことだ、とギャスケルは考える。このことによって家庭でおこなわれていたしつけがおこなわれなくなり、労働者の道徳的退廃が生じたのである。

それではどうすればよいのか。ギャスケルは昔の方がよかったというのだが、昔に戻ることが可能だとは考えない。機械の発達はとめられないのである。そこでギャスケルの論調はすこし変わってくる。かれもケイと同じように工場制度そのものが悪いのではない、といいだすのである。「一定数の子どもをよびあつめ、かれらの道徳的肉体的状態をしらべ、そのいずれか、あるいは両方にみいだされる悪い点のすべてを直接に（間接にはたしかに責任があるとしても）工場のせいにすることは、あきらかに不当である」。工場制そのものではなく、そこにおける長時間労働、健康をたもつのに必要な休養や運動の不足、そしてなによりも家庭の崩壊から生じている道徳的退廃――これらのうちにこそ労働者の悲惨の原因があるのである。ギャスケルはケイとちがって、労働時間の短縮は必要だと考えていた。しかし自由党派らしく、かれは国家の干渉には反対しており、むしろ資本家の自覚こそ必要だと主張する。道徳的に退廃しているのは労働者だけではないのであって、成りあがりものの資本家たちも無規律であり、労働者の退廃を放置している点で責任を問われるべきなのである。

▽無知な労働者の扇動――ギャスケルの労働運動批判

ギャスケルは労働者の平均寿命が短くなっているという見方には反対している。ただかれはいかにも医者らしく労働者のあいだで結核やくる病などの病気がふえ、あるいは児童が発育不良におちいっているという事実を指摘し、死亡率は低下しているとはいえ、こういう労働者の状態は「死のなかに生きのびているようなもの」だと表現している。しかし、やはりケイと同じように、ギャスケルも労働者が自分自身の力でその状態の改善をかちとることには反対であった。労働者の運動はギャスケルにとっては労働者自身のたたかいとは思われず、むしろ無知な労働者を扇動して労資の対立をことさらに激化させているものがいると考えられたのである。「労働者のあいだからえらびだされたものを代表に任命し、争議をとりしきり、基金をあつかう権限をこれにゆだねることは、もっとも非難すべきやり方である」。かれらは労働者の賃金のなかからあつめられた専従人件費でぜいたくな生活をしながら、みずからの地位を守るために闘争をあおりたて、無知な労働者を支配している。労働者もまた教養を高めるような書物や雑誌を読まず、「ある特定の目的のために書かれた」「党派的、政治的な出版物」に夢中になっている。これが当時の労働運動にたいするギャスケルの認識であった。

ギャスケルは労働者の健康状態や住宅など生活環境の劣悪さについては、なまなましくこれをえがきだし、現物給与制やコテージ制（一種の社宅制）をも批判し、またすでにのべたように労働時間の短縮も必要だと考えていたのであるが、しかし賃金については、とくに劣悪な条件にあった手織工を除いては、けっして低いとは考えていなかった。かれがしめしているサンプルによると、五人家族で二間の家に住んで住居費と食費で週一六シリング三ペンスになるという。これにたいして収入はひとり一〇シリング六ペンスで五人全員が働けば二ポンド一二シリング六ペンスになるから一ポンド一六シリング三ペンスの剰余が生じ、これを衣服その他の費用にあてることができるとされている。五人家族全員が成人男子なみの賃金をえられると想定しているところに、このサンプルのずさんな点があるが、ともかくギャスケルにとってはなによりの問題は労働条件よりも「労働者の道徳的状態の改善」にあり、「このことをぬきにしてはどんなことをしても無駄である」とかれはいうのである。

▽労働者に対する教育

こうしてケイと同じようにギャスケルも労働者にたいする教育ということに結論をもってくることとなった。ただケイのように地域学校というような発想は、ギャスケルにはない。ギャスケルの考え方は現代風にいえばむしろ企業内教育とでもいうべきものであった。現在のように資本家と労働者とがそれぞれに組織をつくって対立していると無秩序と混乱をはげしくするだけであるから、とくに労働者の結社を禁止し、労資がいっしょになって相互規制をはかるべきである。資本家については結社を禁止せず、ただその結社の目的を「人格の向上」におくべきであり、富と力をもつ資本家はそのことによって「最良の主人」となるであろう。家族が崩壊してしまったこんにち、工場においてこそ家族的規律が再建さるべきである——これがギャスケルの結論であった。

▽拝金主義批判と復古的反動——トマス・カーライル

最後にトマス・カーライル。カーライルはケイやギャスケルとちがって、労働者の実情をこまかくえがいたり、その窮状を統計でしめしたりしているわけではないが、エンゲルスは本書のなかで「社会的無秩序の基礎をもっともふかくさぐった人物」としてカーライルを評価している。カーライルが当時の社会問題を論じたのは、エンゲルスが本書でふれている『チャーティズム』（一八三九年）と『過去と現在』（一八四三年）という二つの書物であるが、かれの基本的な見方は、産業革命によって社会のしくみが変わり、人と人との関係がすべて金銭関係になってしまったという点にあった。かれはそれを拝金主義《マモニズム》と名づける。「ああ、恐るべきはすべての国民が……神を忘れ、ただ金の神《マモン》と、この神のみちびくところしか覚えていないようになったときである」。資本家はいう、「労働者が飢えているって？　私は約束どおりの賃金を支払ったのだ。それで労働者が生きようと死のうと、私には関係のないことだ」と。人びとのあいだには相互扶助も道徳も消えてしまった。ただ金儲けだけが至上命令となった。これがイギリスがおちこんだ地獄である。そのなかで二〇〇万の人が救貧院に収容され、五〇〇万の人がじゃがいもで生命をつないでいるのだ。政府はチャーティスト運動をおさえつけることに成功した。しかしこの運動を生ぜしめた原因そのものはなくなっていない。議会はこの運動をおさえつけるよりもまず、その底にある民衆の不満に耳を傾けるべきではなかったのか。

▽封建的社会主義

こういうカーライルの社会批判は、たしかにケイやギャスケルよりもするどく、本質的である。またかれが、この拝金主義の社会にたいするアンチ・テーゼとして、労働こそは神聖であり、労働こそ「この世の王であり、最高の王位につくべきである」と主張し、「気高い労働者よ、めざめよ」と訴えるとき、それはマルクスやエンゲルスの主張にもつうずるひびきをもつようにさえ、思われるであろう。だがカーライルの姿勢は本質的に復古的反動的であった。エンゲルスは本書の一八九二年版の注で、「二月革命はカーライルを完全な反動家にしてしまった」とのべて、かつてのカーライルにたいする期待が裏ぎられたといっているが、しかしさきにあげた二つの書物のなかでもカーライルの復古主義や反動的本質は十分にあらわれているのであって、むしろエンゲルスの期待が甘かったというべきであろう。たとえばカーライルは民主主義という制度を評価しない。カーライルによれば、デモクラシーとは「多数者による多数者の自治」であるが、そこには積極的な中味はなにもない、とされている。「デモクラシーには究極的なものはない。デモクラシーが完全に勝利したとしても何物もえられない——むなしさと勝利のための自由な機会とを除いては。デモクラシーとは本質的に自己否定的な事業であり、長い目でみればその成果はゼロである」。選挙権は不満のはけ口にすぎず、議会でおしゃべりをする人をえらぶために何万分の一かの権利をえたところで、なんの役にたつであろうか。民主主義の代わりにカーライルが支持するのはむしろ封建制であった。もちろんそこにも多くの欠陥はあったが、しかし金が万能となっているいまの世の中にくらべれば、すくなくともそこには理念があった。そしてそこでは、支配するにふさわしい人びと（真の貴族と真の聖職者）とが支配していたのである。古い特権にしがみついて遊んでばかりいる現代の貴族や、金儲けしか考えていない成上りものの資本家とちがって、そこには真の指導者がいた。カーライルの理念はけっして多数者の自治ではなく、英雄待望論なのであった。それはまさに『共産党宣言』

で指摘されているところの「封建的社会主義」のひとつの典型にほかならないのである。

こういう考え方にたつカーライルが当時の社会にたいして具体的に提案していることは、『チャーティズム』および『過去と現在』のなかでは、つぎの三つである。ひとつはやはり教育であって、教育こそはこの混沌の世に光と秩序とをもたらす唯一の方法だとカーライルは考え、教育法をさだめるよう提案している。第二は移民であって、国内で貧困に苦しむよりは海外へ新天地をもとめるべきであり、こういう方法の方がマルサスのいうような人口増加を抑制するという方法よりもはるかに有効だ、とカーライルは主張する。「国内にとどまって他人にも祝福されず、みずからも祝福しない実力派のチャーティストとなるよりは、そこ〔新しい西部の土地〕でわれわれのために新しく穀物をつくり、われわれから新しい織物と斧を買い、すくなくともわれわれの平和を乱さない方が、真の祝福となるであろう」。そして最後にカーライルがとくのは、じっと耐えしのんで働けというお説教であった。かれが「労働の騎士道」と名づけて強調しているものは、一時的な契約の代わりに永続的な契約を結ぶという原則であるが、それはいったん職についたら不平があっても簡単にそれを放棄せず、苦しみに耐えて働きつづけるということであった。「人間はただ耐えしのびさえすれば、両インドよりも豊かな富がいたるところにあるのだ」。このように労働者がじっと耐えて働きつづけるなら、企業主もまたその企業にたいする労働者の関与をみとめるようになり、企業そのものが労働者と企業主との「協同企業」となるのではなかろうか——そこにカーライルのかすかな期待がよせられていたように思われる。

▽ケイ、ギャスケル、カーライルとエンゲルスの違い

以上、エンゲルスが本書のなかでとりあげている多くの書物や著者のうちから、代表的と思われる三人の人物をとりあげて、その考え方を簡単に紹介してきた。この三人の思想とエンゲルスとの違いは、もはや十分にあきらかであると思われるが、念のため、そのいくつかの点についてまとめておこう。

第一は、カーライルにもっとも典型的にみられる復古的傾向である。ギャスケルも昔の方がよかったと考えている。こういう姿勢からは資本主義の矛盾を前向きに克服してゆこうという態度はでてこない。

第二は、工場制の弊害が全面的本質的にとらえられていないことである。ましてそれを資本主義という生産関係が必然的にもたらすものとみる社会科学的なとらえ方は、きわめて不十分である。しいていえばカーライルが資本主義の本質にいちばんするどく迫ったといえるであろうが、その迫り方もやはり一面的であったといわざるをえない。

第三は、労働者の悲惨な状態の原因を社会的な関係にもとめるよりも、むしろ労働者自身の無知や道徳的退廃にもとめる傾向がつよいことである。このために三人に共通して教育の重要性が強調される。

第四に、このことと関連して、労働者自身のたたかいにたいする反感ないし敵意がみられる。

労働者自身がみずからの解放をかちとるのではなく、むしろ上からの救済ということが重視され、その究極の方向は労資協調へむかうものであった。

したがってエンゲルスが、これらの人びとから当時のイギリスの社会のいろいろな事実について学んだことは疑いえないところであるけれども、しかしこれらの事実を総合し分析し、そしてそのなかから労働者の解放のための道をしめしたのは、あくまでエンゲルス独自の力によるものであったといわなければならない。

4 初期社会主義

もっとも以上にのべたケイ・シャトルワースらとは別に、一八世紀の末から一九世紀の前半にかけて、当時の社会状態を批判しつつなんらかの形の改革を主張する人びとがなかったわけではない。ふつう急進主義者とよばれている人びとがそれであって、その主張は大別すれば議会改革の主張と私有制の廃止を要求する初期社会主義の主張との二つにわけることができる。

▼急進主義者の議会改革の主張

第一の議会改革の主張は、さかのぼれば一七世紀ピューリタン革命期の平等派にはじまるとみることができるが、その後しばらくとだえたのち、一八世紀の六〇年代から復活し、アメリカ独立革命やフランス革命の影響のもとに大きくもりあがり、一九世紀にはいるころから政治運動と結びついて、やがて第一次選挙法改正をへてチャーティスト運動へと発展していったものであった。こういう主張の代表的な思想家としては、リチャード・プライス、ジョン・カートライト、ジョージフ・プリーストリ、トマス・ペイン、さらに一九世紀にはいってからはウィリアム・コベット、フランシス・プレースなどをあげることができるし、また哲学者のジェレミ・ベンサムもその晩年には急進主義者の仲間入りをし、結社禁止法の廃止や議会改革を主張するにいたったのであった。

▽初期社会主義の流れ

第二の、初期社会主義の流れも、さかのぼれば一六世紀のトマス・モアや、ピューリタン革命期のディガーズ運動にまでさかのぼることができるけれども、やはりその後一時とだえており、一八世紀の末になって、まず土地私有の制限ないし廃止の主張として復活する。さきに名前をあげたトマス・ペインも一七九六年に出版された『農業的正義』という書物のなかで、土地の相続にあたってその土地価格の一〇分の一を相続税としてとりあげ、これを「国民基金」とすることを提案しているが、これより前にウィリアム・オウグルヴィは『土地所有権論』(一七八一年)において大地主の土地の強制分割を主張し、またトマス・スペンスはもっと徹底して教区を単位とする土地の共有を、『真実の人権』(一七七五年講演、出版は一七九三年)において主張した。このように土地所有の不平等にたいする批判としてはじまった初期社会主義の思想は、やがて私有制一般への批判へと発展してゆくのであるが、それはイギリスではまずウィリアム・ゴドウィンの『政治的正義の研究』（一七九三年）においてあらわれる。ゴドウィンは哲学的には功利主義の立場にたっていたが、その立場から、もっとも大きな利益はまずすべての人の生存権を保障することにあると考え、ここに「政治的正義」の根本があると主張した。そしてこういう「正義」を実現するためには、ブルジョア的平等の基礎となっている労働にもとづく所有、および搾取の権利を否定しなければならないとして、自由な結社の連合による共同所有の社会を構想したのである。

▼「社会主義の源泉」――ロバート・オーエンの思想

しかし以上の諸思想においては、まだ労働者階級の貧困は主要な問題になってはいない。そこで問題となっているのは大土地所有制や没落しつつある小生産者層の困窮であった。労働者の窮乏を目のあたりにみて、その生活環境改善のこころみから私有制廃止の主張と、さらに共産主義の実験にまでいたったのは、空想社会主義者として有名なロバート・オーエンである。スコットランドのニュー・ラナークの工場主であったオーエンは、その工場の労働条件や労働者の生活環境を改善することによって工場の経営にも成功したことに自信をえ、一八二五年アメリカにわたって共産村を建設するが、これは完全に失敗し、帰国後は協同組合運動の指導にあたったり、労働交換所の設立をこころみたりし、また一八三四年には全国労働組合大連合の結成にも力をつくした。エンゲルスは原著のなかでもオーエンを「社会主義の源泉」として評価しているが、しかしオーエンも労働者階級がみずからの力によって資本主義を打倒しうると考えていたわけではなく、『空想から科学への社会主義の発展』のなかのエンゲルスの表現を借りるなら、「まずある一定の階級を解放しようとはしないで、ただちに全人類を解放しようとした」のであった。だからオーエンには私有制廃止の主張はあるが階級闘争論はなく、労働者階級にたいするオーエンの態度はあくまで教育的啓蒙的であり、その理論は資本による搾取を全面的に否定しようとするものでもなかったのである。

▽労働全収権論――リカード派社会主義

これにたいして資本による搾取の問題を正面にすえたのが、リカード派社会主義者とよばれるウィリアム・トムソン、トマス・ホジスキン、ジョン・グレー、フランシス・ブレーらであった。かれらの著作はおもに一八二〇年代から三〇年代にかけて出版されているが、その理論的立場は労働全収権論とよばれる。すなわち、かれらは労働こそが富の唯一の源泉であるという基本思想にたち、資本の取り分である利潤を否定しようとし、理想社会として協同社会を主張したのである。かれらの思想は、マルクスがのちに展開した剰余価値論にはまだ遠くおよばないものであったけれども、経済理論のうえではリカードの労働価値論からマルクスにいたるひとつの道程をしめすものであったといえよう。

5　労働者階級のたたかい

以上のような社会状態と世論のなかで、政府はどのような政策をとり、また労働者階級はどのような運動を展開したのであろうか。つぎにこの点をみてみよう。

▽産業革命期の対労働者政策

産業革命期の政策をみてゆく場合に、これを三つの側面のからみあいとしてとらえることが必要である。その第一は、資本家階級が貴族や地主という古い支配階級に対抗して自分たちに有利な政策をかちとってゆくという側面であって、一八三二年の第一次選挙法改正や一八四六年の穀物法撤廃などがそれである。こういう側面においては資本家階級は労働者階級と協力し、あるいはその力を利用する。第二の側面は、資本家階級がまさに資本家として労働者階級と対決し、これを押えつけようとする側面であって、一七九九年と一八〇〇年の結社禁止法や一八三四年の救貧法改正などがそれである。第三の側面は、こういう労働者抑圧の政策にたいしてつよい反対がおこり、これに押されて資本家階級がみずからの利益を最大限守りながらも一定の譲歩を余儀なくされるという側面であって、工場法とよばれている一連の社会立法や、一八二四年の結社禁止法廃止などがそれである。この場合には地主階級(政治的にはトーリ派)の一部が労働者階級の支援にまわることがあった。

▽団結禁止法

以上の三つの側面のうち最初にあらわれてくるのは第二の側面、すなわち労働者にたいする抑圧の政策である。それは産業革命以前からみられたもので、その最初の形態は、絶対主義の時代につくられていたギルド制などの産業規制や小生産者保護のための法律を形骸化するという消極的なものであった。逆に労働者（当時は問屋制支配下の家内労働者）の方がこういう古い法律を守るように要求していたのである。こういう労働者の抵抗にたいして資本家階級がうちだしてきたのが団結禁止法であって、それは地域的な、あるいは職種ごとの、限定された法律としては一七二一年から存在し、一八世紀中に約四〇もの団結禁止法が制定されたが、これをひとつにまとめて全国的な統一立法としたのが一七九九年の団結禁止法（一八〇〇年に若干の修正を加えて再制定）であった。この法律によって、賃金引上げ、労働時間短縮などについて共謀したり、ストライキをくわだてたり、不法な集会を組織したりこれに参加したものは、最低三ヵ月の禁固刑、または二ヵ月の重労働を課せられることとなった。

この法律は、実際上の効果はあまりなかったとする説もあるが、とにかく労働組合の公然たる活動は不可能となったのである。イギリスでは、労働組合の前身にあたる労働者の互助組織は一八世紀前半から生まれており、一七九〇年代には紡績工の組織化がはじまっていた。一七九二年のストックポートの紡績工組合がイギリス最初の工場労働者の組合とされている。またこのころには、アメリカの独立革命やフランス革命の影響もあって、議会改革を要求する急進主義の運動もはじまっており、一七九二年には労働者階級の最初の政治団体であるロンドン通信協会も結成されていた。政府はこういう情勢におどろき、九三年以降つぎつぎと弾圧を強化していったのであるが、団結禁止法はその頂点をなすものであったのである。

▽労働運動の高揚

団結禁止法のもとでもストライキや労働争議がなくなってしまったわけではないが、合法的な活動を禁止された労働者たちは、一八一〇年代のラダイト運動に典型的にみられるような暴力的うちこわしに走り、それがまた政府の弾圧強化の口実となるという悪循環がはじまることとなる。そこでウィリアム・コベットやフランシス・プレースらの社会改良家たちは、一方ではラダイトとよばれる人びとにたいしてうちこわしをやめるようよびかけるとともに、もう一方では団結禁止法の廃止を要求し、一八二四年にその廃止がかちとられたのである。しかし資本家側はすぐ反撃にでて、一八二五年に団結禁止法廃止法を修正させることに成功した。すなわち、労働者の団結そのものは禁止しないが、暴力行為や脅迫行為、あるいはストライキ中他の労働者の就業を阻止する行為（いわゆるピケット）などは違法とされ、このため労働者の争議行為は大きな制限をうけることとなった。さらに宣誓禁止法という法律によって組合結成を妨害するとか、あるいは資本家が労働者を雇用するさい組合に加入しないことを条件とするいわゆる黄犬契約が放置されるとか、労働運動の前進にはまだまだ障害は多かったのである。

しかし一八二四年以降の労働運動はやはり大きな高揚期を迎えたといってよい。そしてそれは一八三〇年、労働組合の最初の全国組織である全国労働擁護協会の結成にいたるのである。この組織はマンチェスターの綿紡績工を中心とし、アイルランド出身のジョン・ドハティを専従書記として置いて、最盛期に組合員数一〇万人、機関紙「人民の声」発行部数三〇〇〇と称したが、資本家側の猛烈な攻撃と組織上の弱点のために、二年足らずで解散せざるをえなかった。しかしこれにつづいて一八三四年には全国労働組合大連合という全国組織が、こんどはロンドンの労働者を中心に組織され、空想的社会主義者として有名なロバート・オーエンもこれに加盟した。この組織も一年足らずで崩壊したが、このように労働組合運動が大きな高まりをみせていたことがこの時期の重要な特徴であった。

▽議会改革運動

当時のもうひとつの重要な運動は議会改革運動である。これは労働者階級の運動というよりは資本家階級をふくむ当時の中間階級の運動としてはじまったものであるが、さきにのべたロンドン通信協会や、一八三一年に結成された全国労働者階級同盟は、労働者の政治組織であり、この後者は中間階級の政治組織である全国政治同盟と協力して、一八三二年の第一次選挙法改正をかちとったのであった。しかし、よく知られているように、この第一次選挙法改正は議員定数の不公平を是正したにとどまり、選挙権の拡大についてはほとんど成果をもたらさなかった。この改正によって有権者数は四三万人から六五万人にふえただけであり、総人口にたいする比率でいえば一・八パーセントから二・七パーセントへふえただけであった。全国労働者階級同盟は成年男子普通選挙権、議員の財産資格の撤廃、秘密投票制、一年任期の議会という要求をかかげていたが、この要求はひとつも実現されなかったのである。

▽労働者階級の議会改革運動——チャーティスト運動

こうして労働者階級はあらためて独自に議会改革運動をすすめることになる。これが有名なチャーティスト運動である。それは一八三六年に結成されたロンドン労働者協会によってはじめられ、二年後の一八三八年、六項目の要求からなる人民憲章を制定して、これにたいする支持署名を全国からあつめるという形の運動として発展した。この六項目というのは、(1)二一歳以上の男子普通選挙権、(2)議員の財産資格の撤廃、(3)議員の任期を一年とすること、(4)議員定数の不公平の是正、(5)議員への歳費支給、(6)秘密投票制、であったが、一八三九年に議会へ提出された署名数は一五〇万人というイギリス史はじまっていらいの多数にたっしていた。しかし議会はこれにはまったく冷淡で、普通選挙権法案は二三五対四六という大差で否決されたのである。このため、人民憲章を支持した労働者のなかには、署名や請願では目的は達成できないとして、実力行使を主張する人びとがあらわれる。この「実力派」のリーダーがアイルランド出身のファーガス・オコンナーであった。一八四〇年に全国憲章協会が結成され、第二回の署名運動がはじまったが、これを支持する労働組合のなかにはストライキにはいったものもあり、またマンチェスターでは工場の蒸気機関の点火栓《プラグ》をこわしてしまうという一種のうちこわしもおこった。第二回の署名は三三〇万人にたっし、一八四二年四月に議会へ提出され、やはり圧倒的少数で否決されたのである。

エンゲルスがイギリスへきたのはその約半年後であった。かれはイギリスの労働者のこういう政治闘争に大きな感銘をうけ、それがやがて革命にまで発展するにちがいないと考えたのである。エンゲルスのこの見通しが甘かったことは、かれ自身ものちにみとめたとおりであるが、当時のイギリスに革命的な雰囲気があったことは事実であろう。なお、チャーティスト運動は一八四八年に第三回目の署名運動をおこなってやはり議会で否決されたのちは、大衆的な運動としては終りをつげるが、その後もマルクスとエンゲルスはチャーティストたちと接触をつづけ、後期チャーティストとよばれる人びとはしだいに社会主義の方向へ近づいていった、ということをつけ加えておきたい。『共産党宣言』の最初の英訳は、後期チャーティストの機関紙『レッド・リパブリカン』に掲載されたのである。

こういう労働者階級のたたかいとこれを支援する人道主義者たちの社会運動のなかで、労働者の状態を改善しようとする一連の社会立法が制定されていったが、その中心をなしたものは工場法とよばれるいくつかの法律であった。最後にこれらの法律について解説しておきたい。

▽工場法（一八〇二年）

ふつう最初の工場法といわれているのは一八〇二年の「綿工場その他の工場に雇用される徒弟の健康と道徳の維持のための法律」である。当時、工場では若年労働力の不足を補うために、貧民の子どもを収容している教区の救貧院から子どもたちを提供させ、強制的に就労させていたが、その労働条件がもっとも過酷であったので、これにたいする規制の必要が叫ばれていた。この法律はその必要にこたえて制定されたもので、その内容は、(1)作業環境の整備（清掃、通風の義務づけ）、(2)一日一二時間以上の労働と夜業の禁止、(3)男女の寝室を別にし、ひとつの寝台を二人以上で使わないこと、(4)教育および教会へかようことの義務づけ、(5)この法律の実施状況をしらべるため巡視官をおき、違反者には二ポンド以上五ポンド以下の罰金、などであった。この法律は、議会ではほとんど反対もなく成立したが、しかし実質的な効果はなく、「死文」であったといわれる。こういう法律が制定されたことを知らない工場主も多く、巡視官も形だけでじっさいには動かなかった。またこの法律は、三人以上の徒弟または二〇人以上の労働者を雇用する工場に適用されることになっていたので、零細な家内労働的な経営は適用対象からはずされ、さらに教区徒弟以外の、自由契約による児童労働も適用外とされたのである。

▽**一八一九年工場法**

そこで自由契約によるものであってもすべての児童労働を保護しようという提案がくりかえされ、一八一九年に「綿工場の規制とそこで雇用される年少者の健康のいっそうの維持のための法律」が制定された。その内容は、(1)九歳未満の児童の雇用禁止、(2)一六歳未満の年少労働者の一日の労働時間は一二時間をこえないものとすること、(3)夜業（午後九時から午前五時まで）の禁止、がおもなものであった。この法律は教区徒弟のみでなく、児童労働一般を対象とした点で大きな意義をもつものであったが、逆に適用対象を綿工場のみに限定した点では一八〇二年法よりも後退したといわなければならない。また法律の実施状況についての監督制度もきわめて不備で、罰金額が一〇ないし二〇ポンドに引き上げられたものの、じっさい上はやはり

「死文」であった。この法律に違反したとして処罰された工場主は、六年間にわずか二人であったという。

▼一八二五年工場法

つづいて一八二五年には「綿工場の規制とそこで雇用される年少者の健康維持のための法律」が制定された。これは一八一九年法をさらにきびしくし、夜業禁止時間を午後八時から午前五時とし、土曜日の労働時間を午後四時半までの九時間とさだめ、食事時間中の作業を禁止し、さらに児童を雇う場合にはその子が九歳以上であることを証明する親の署名が必要であるとするなど、いくつかの新しい規定をもうけたが、この法律も、エンゲルスが本書中でのべているように、やはりまったく守られなかった。一八二九年にはこの法律の一部改正がおこなわれたが、実質的な効果には変りはなかった。

▼一〇時間運動と一八三一年工場法

実質的な効果をもつようになった最初の工場法は一八三一年法である。この法律の制定には、一八二九年ごろから北部工業地帯を中心に展開された広範な大衆運動が大きな力となっていたことを見逃すことはできない。ランカシャでは「時間短縮委員会」が組織され、これが中心となって一〇時間運動が粘りづよくつづけられ、またトーリ派の社会改良家であったリチャード・オースラーが一八三〇年一〇月に『リーズ・マーキュリ』という地方紙に発表した「ヨークシャの奴隷制」という論文は、各方面に大きな衝撃を与えた。イギリスは一八〇七年に奴隷貿易を禁止し、一八二三年には奴隷制反対協会が結成されて植民地における奴隷の全面禁止のための大きな運動が展開されており、やがて一八三三年には奴隷制廃止法が制定されるのであるが、しかし植民地だけでなく、本国にも工場のなかに奴隷と同じような状態の人びとがいるではないか、このお膝もとの奴隷をどうするのか、というのがオースラー論文の趣旨であった。一八三一年法は「綿工場に雇用される徒弟および年少者にかんする諸法律を廃止し、これに代わる規定をもうける法」というもので、二一歳未満のものの夜業（午後八時半から午前五時半まで）禁止、一八歳未満のものの最長労働時間を一二時間（土曜日は九時間）とする、九歳未満の児童の就業禁止ということを主要な内容としており、罰則もきびしくなった。この法律も「部分的に守られたにすぎなかった」とエンゲルスは書いているが、それは一〇時間運動でもりあがりをみせていた労働者自身が、この法の実施を監視したためであって、法律自体による実施状況の監視規定はなおきわめて不十分であった。したがって一〇時間運動はこの法の制定にはけっして満足せず、むしろいっそう燃えあがったのである。

▽一八三三年工場法

こうしてようやく一八三三年の工場法が成立する。この法律の正式の名称は、「連合王国の工場の児童および年少者の労働を規制する法律」といい、綿工場のみでなく繊維関係の工場すべてに規制範囲を拡大し、一八歳未満のものの一日一二時間以上、一週六九時間以上の労働と夜業（午後八時半から午前五時半まで）を禁止し、絹工場以外での九歳未満の児童の就業禁止と、一一歳未満の児童の一日九時間、一週四八時間以上の労働禁止をさだめた。しかしこの法律がそれ以前の法律ともっとも大きく異なっている点は、工場監督官という制度をもうけたことで、これまで治安判事の片手間仕事であった工場査察を、工場監督官という有給の専門職にゆだね、これに大きな権限を与えたのである。さらにこの法律は、工場で働く児童を一日最低二時間学校へかよわせるという義務を工場主に課し、いわば義務教育制度の先駆となったことも注目しておかなければならない。

▽一八四四年工場法――婦人労働者の労働時間制限

エンゲルスがイギリスへやってきたときの工場法の状態は以上のようなものであったが、かれのイギリス滞在中にもうひとつの工場法が成立している。それは一八四四年の「工場労働にかんする法律を修正する法律」で、この法律によって婦人労働者の労働時間制限（一日一二時間、週六九時間）がもうけられた。婦人労働者の保護規定は炭鉱では一八四二年からもうけられていたが、繊維工場ではこれが最初であった。このように、最初、徒弟児童の保護から出発したイギリス工場法は、エンゲルスが本書を執筆していたころには、婦人および未成年の労働者の労働時間を一日一二時間とするところまですすんでいたのであるが、一八四七年になってこれを一日一〇時間とする法律が成立し、一九世紀の後半になって、これを繊維以外の工場と成年男子労働者へもひろげてゆくこととなるのである。

（浜林　正夫）

Die Lage

der

arbeitenden Klasse

in

England.

Nach eigner Anschauung und authentischen Quellen

von

Friedrich Engels.

Leipzig.

Druck und Verlag von Otto Wigand.

1845.

『イギリスにおける労働者階級の状態』初版本の表紙

第3章

『イギリスにおける労働者階級の状態』

1870年代のロンドンのイースト・エンド

はじめに――本書の構成

エンゲルスの『イギリスにおける労働者階級の状態』は、全部で一二の章からなっており、そのまえに「序文」と「イギリスの労働者階級によせる」という献辞がついている。「序文」によると、エンゲルスはもっと包括的なイギリス社会史を書くことを計画していたらしいが、この計画は実現されず、労働者階級の状態だけをえがいたこの書物が独立して刊行されたといわれている。エンゲルスがとくにこのテーマを重視し、独立でこれを刊行した理由は、「序文」によれば二つであって、そのひとつは、社会主義を空想から科学へと発展させるためには、この理論にたいする賛否のいかんにかかわらず、まず労働者階級の現状を正確に知る必要があるということである。現状認識こそが科学的な理論の出発点であるという自覚にたって、この書物は書かれたのであった。第二の理由は、労働者階級がもっとも古典的な形で成立し存在しているイギリスの状態について知ることは、エンゲルスの祖国ドイツの今後を予測するうえできわめて重要だということである。ドイツではまだ労働者階級は未成熟であり、したがってここでの社会問題のとりあげ方はかなり観念的であるから、ドイツ人にとってなによりもまず必要なことは労働者の状態についての事実認識だ、とエンゲルスは考えている。こうしてエンゲルスは、みずからの見聞をもとにし、文献でこれを補いつつ、イギリスにおける労働者階級の状態についての、克明な叙述と分析をおこなったのであった。

この書物がイギリスの労働者階級にささげられたことも重要な意義をもっている。それはドイツ人であるエンゲルスがイギリスの労働者にたいしてしめした連帯の決意の表明なのであって、エンゲルスはそこでイギリスの労働者のたたかいが勝利するであろうことにかたい信頼をよせるとともに、その勝利が人類の進歩にとって有益であることをもつよく訴えたのであった。

本書の全体は大きく二つにわかれている。はじめの「序説」はまず産業革命についての概説であるが、その社会的な結果としてプロレタリアートが生まれ、増大していることを指摘したのち、「工業プロレタリアート」「大都市」「競争」「アイルランド人の移住」「諸結果」という五つの章で、エンゲルスは労働者階級の生活状態を概観している。それは当時のイギリスに住んでいた人ならだれでもが目にし、話にきいた実情であるが、エンゲルスはとくにたちいって労働者の生活実態をしらべ、その原因を論じ、それがどういう結果を生みだしているかをえがきだしたのであった。

ここまでがいわば総論部分であるとするなら、そのあとの六つの章はいわば各論である。ここでエンゲルスは、当時の論者がよくとりあげた工場労働者のみではなく、家内工業の労働者や鉱山労働者、農業労働者などについてもその実態をあきらかにし、さらに労働運動や労働者にたいする国家の政策をも分析して、労働者階級のたたかいの展望までしめしたのであった。

以上がこの書物の構成であるが、のちになってエンゲルスは「あるイギリスのストライキ」

という付録をこの書物につけ（これははじめ一八四六年一月から二月にかけて『ウェストファーレンの小蒸気船』という雑誌に掲載されたもの）、また、一八八七年のアメリカ版と一八九二年のドイツ語版とにかなり長文の序文をよせた。「あるイギリスのストライキ」というのは、本書の「労働運動」という章のなかにあるマンチェスターの煉瓦工場の争議（一八四三年五月）の続編ともいうべきもので、チャーティストの機関紙『ノーザン・スター』に報道されたものをエンゲルスがドイツの読者のために紹介したものである。

「アメリカ版」への序文は、アメリカの労働運動へのエンゲルスのコメントをふくんでいる点で注目される。エンゲルスがこの序文をよせた前年の一八八六年五月には、メーデーのはじまりとされている有名な八時間労働日のゼネストがシカゴを中心としてたたかわれており、そのことだけからも知られるようにアメリカの労働運動が一大高揚期を迎えたときであった。エンゲルスはその高揚の知らせをききながら、アメリカの労働者階級もまた、その最初の全国組織である労働騎士団を中心として、全世界的な階級闘争の戦列へ加わるであろうことを期待したのであった。

一八九二年のドイツ語版への序文は、本書の刊行後五〇年近くたって、エンゲルスがこの書物の内容についてどう考えていたかということをしめしている点で興味ふかい。エンゲルスはこの五〇年近くのあいだに、本書でえがかれたような労働者階級の状態にいくつかの変化が生じたことをみとめ、またかれが本書のなかで予言をしたことのいくつかがあたらなかったことをもみとめつつ、しかもなお本書でしめされた基本的な把握の正しさについてはいささかも修正の必要をみとめていないのである。つまりエンゲルスは一方において、資本家階級が「正義と人類愛」への譲歩をおこない、多くの改良立法を成立させ、このために「この書物に書かれている事態は、いまでは――すくなくともイギリスについていえば――大部分は過去のものとなっている」ことをみとめながら、しかしこれらの改良政策は大資本が中小資本を圧殺するための手段だったのであり、さまざまな弊害はとりのぞかれたけれども、そのためにかえって資本主義という制度そのものの矛盾が前面におしだされたといい、また、恐慌の周期は本書では五年としていたがこれは一〇年とすべきであるなどいくつかの訂正をおこないつつ、しかし、「不思議なことは、これらの予言の非常に多くのものがはずれた、ということではなくて、非常に多くのものがあたった、ということ」だとのべている。革命は近い、という予言についても、エンゲルスはそれが若い日の情熱によるものであったことをみとめつつ、しかもこの予言を削除する必要はないという。エンゲルスは一八九二年という時期に、イギリスの労働運動の新しい高まりと、オーエン主義やチャーティズムとともに死にたえたかと思われたイギリス社会主義の復活とをみいだしているのである。とくにかれが注目しているのは新しい労働者党の胎動であって、これによって、保守党と自由党との政権たらいまわしに、終止符がうたれるであろう、とエンゲルスは考えている。

1 序説

▽産業革命以前の労働者の状態

労働者階級の歴史は機械（蒸気機関と綿紡績および綿織物の機械）の発明とともにはじまった。これらの機械の発明によって産業革命がひきおこされたのだが、それはたんなる技術革新ではなく、ブルジョア社会全体を変革するものであり、この変革のもっとも重要な結果は労働者階級の発達ということであった。イギリスはこういう変化がもっとも典型的におこなわれた国であるから、労働者階級についてもこの国においてもっともよく研究することができる。

そこでまず、産業革命以前の労働者の状態をみてみよう。かれらの状態をエンゲルスはつぎのように特徴づけている。まず第一にかれらは農村に住み、わずかばかりの土地で農業をいとなむかたわら、家族とともに自分の家庭で糸を紡ぎ、布を織っていた（半農半工の家内工業）。第二にかれらは競争にさらされることもなく、失業の心配もなく、物質的には安定した生活をおくり、健康にもめぐまれていた。第三にかれらは道徳的にも健全であったが、農村を支配する地主層のいうままに服従しており、精神的には死んでいた（家父長的家族主義的支配）。

ここで、エンゲルスが産業革命以前の家内工業をすこし美化しすぎているのではないかという批判もあるが、エンゲルスが強調するのは、こういう生活は、たとえ物質的に安定していたとはいえ、人間にふさわしいものということはできないという点である。家内労働者たちは貴族や地主に奉仕する機械にすぎないのである。この状態に刺激を与え、労働者を目ざめさせたのが産業革命である。したがって産業革命は、労働者階級を悲惨な状態におとしいれたにせよ、そのことをつうじて階級闘争を発展させるという歴史的に進歩的な意味をもつものであった。だからエンゲルスは、産業革命はフランス革命と同じような意義をもつとみるのである。

▽機械の発明

以上のような家内工業の状態に決定的な変化をもたらしたのは綿工業における機械の発明であった。エンゲルスがここであげているのはジェイムズ・ハーグリーヴズのジェニー紡績機（一七六四年）、リチャード・アークライトの水力紡績機（一七六七年）、サミュエル・クロンプトンのミュール紡績機（一七八五年）、エドマンド・カートライトの力織機、ジェイムズ・ワットの蒸気機関（一七六四年）の五つであって、このほかにも四七ページの表にあげたようないくつかの発明があるが、おもなものは上記の五つである。そのおのおのについて簡単に説明しておこう。

ジェニーというのはハーグリーヴズの妻の名といわれる。かれは妻に糸を紡がせ、その糸を織って生活をたてていたが、いつも糸紡ぎの仕事の方がおくれ、布を織るのに間にあわなかった。ところがある日、偶然のことから紡錘を垂直にならべると同時にたくさんの紡錘をまわすことができるということを発見し、はじめは八個、つぎには一六ないし一八個、ついには八〇

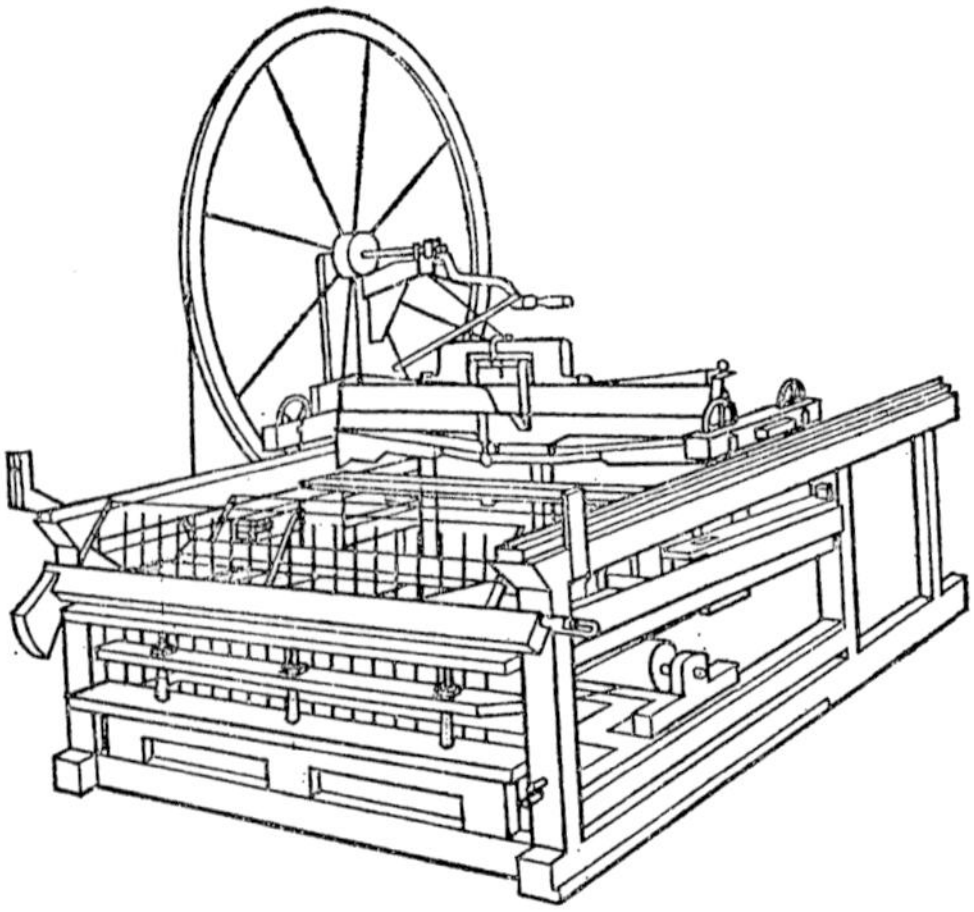

ジェニー紡績機

個の紡錘をいっせいにまわす装置をつくりあげたのである。

しかしジェニー紡績機は、細くて弱い糸しかつくれない（したがって布を織るときの横糸にしか使えない）という欠点をもち、また繊維に「よりをかける作業と、まきとる作業とが二段階になっていて、そのままでは自動化できないという欠点をもっていた。したがってジェニー紡績機は人間の手でまわさなければならないものであった。

こういうジェニー紡績機の欠点を改良したのがアークライトである。かれは紡績機にローラーをとりつけ、これを加速度的に回転させてそのあいだに糸をとおすことによって、「より」と「まきとり」とを自動的におこなえるようにし、かつ、太くてつよい糸をつむぐことに成功したのである。このことによって、動力も人間

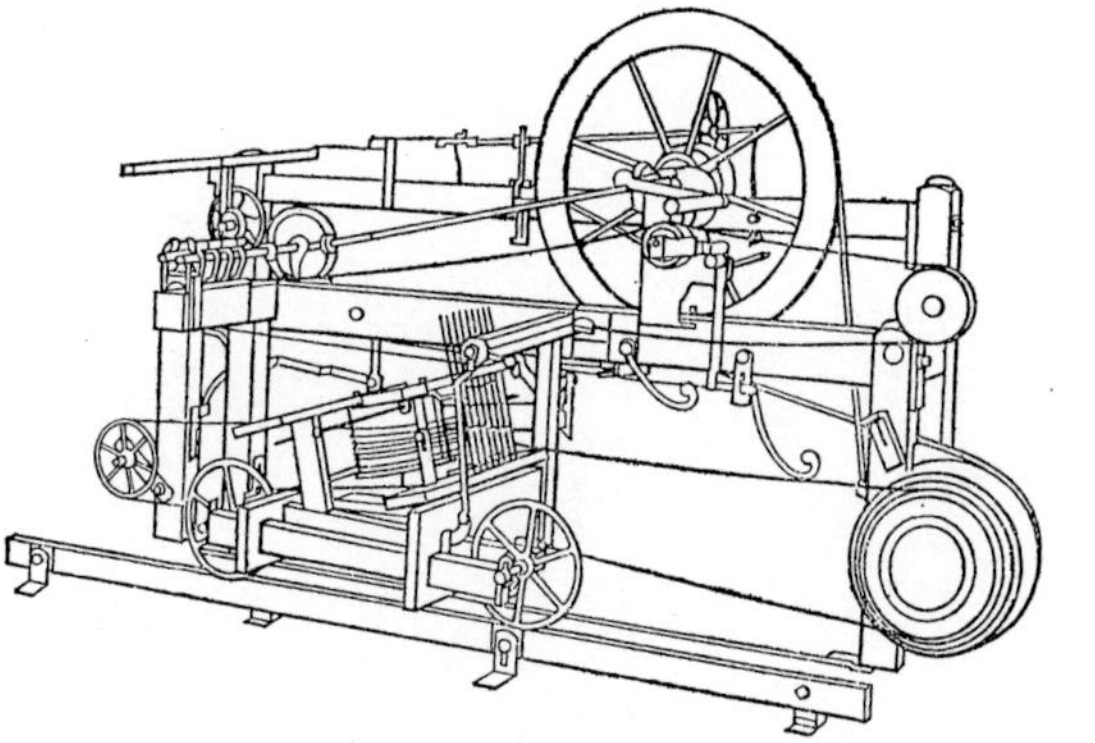

ミュール紡績機

の手をはなれ、はじめは馬を使ったといわれるが、のちに水力を用いるようになったのでかれの発明した装置は水力紡績機といわれる。エンゲルスはこの発明の年を一七六七年としているが、一七六八年とする説が有力であり、特許をえたのは一七六九年であった。

ジェニー紡績機と水力紡績機の長所をとりいれ、細くてつよい糸をつむぐことに成功したのがクロンプトンのミュール紡績機である。ミュールというのは馬とろばのあいの子らばのことで、二つの紡績機のあいの子という意味で当時の人びとのつけたあだ名であるが、「より」をつよくするために移動する車をつけたことから、日本語では走錘紡績機と訳されることもある。ミュール紡績機によって細くてつよい糸の生産が可能となり、その後、いろいろな改良は加えられたが、現在も紡績機械にはミュールの原理がうけつがれているのである。ミュールの発明年についてもエンゲルスのあげている一七八五年は誤りで、一七七九年というのが最近の通説である。

力織機による織布

以上が紡績機械であるが、これらの発明によって糸不足は解消され、逆に織布の方のおくれが問題とされるようになった。織布については、エンゲルスはふれていないが、一七三三年にジョン・ケイの飛梭の発明があり、縦糸のあいだを自動的に横糸をとおすことができるようになって、布を織るスピードが二倍以上になったといわれるが、それ以後、機械の発明はなかったのである。この問題をいっきに解決したのがカートライトの力織機であって、これによって織布の仕事がすべて作業機でおこなえるようになった。

残された問題は動力であった。機械というのは原動機、伝動機構、作業機の三つの部分からなる装置であるが、いままでのべてきた機械はいずれも人力、馬力、水力を動力とするものであって、その点でその利用に限界があった。この限界を解決したのがいうまでもなくワットの蒸気機関であって、かれは、一七一〇年ごろ炭鉱の排水のために考案されたニューコメンの気圧機関の改良にとりくみ、一七六四年にシリンダーと冷却装置を分離し、蒸気力だけでピストンを上下させることを思いつき、六九年にその特許をえ、七八年には上下運動を回転運動に変える装置をつくりだしたのである。こうして蒸気機関は炭鉱の排水だけでなく、あらゆる機械の動力として利用されるようになり、やがては機関車や汽船にまで用いられるようになっていったのであった。

機械の発明がもたらした結果は、いうまでもなく生産費の引下げであり、綿製品の輸出は急増して世界市場を支配するにいたった。しかしその反面、労働者階級もいっそう急速に増大し、またその生活は不安定化した。いまやかれらは資本主義に固有の景気変動の波にさらされ、失業の不安につねにおびやかされることになったのである。なおエンゲルスは、このような工場制のひろがりが農業へも影響を与え、いままでの自作経営を破壊して資本主義的大農経営がひろがったことにも注目している。工業プロレタリアートと並行して農業プロレタリアートも増大したのである。

▽工業の発達

産業革命の中心をなしたのは繊維産業、とくに綿工業であったが、その中心はランカシャとスコットランドのグラスゴー周辺であって、そこでは「まるで魔法の杖の一撃によって大地のなかから呼びだしたかのように」工場都市が生まれた。エンゲルスはこれを「近代の最大の奇跡」とさえよんでいる。それ以外に、ノッティンガムおよびダービーの靴下製造業、ノッティンガム、レスターおよびイングランド西部のレース製造業、あるいはこれらに関連する漂白、染色、捺染業も大きな発展をとげている。

綿工業以外ではヨークシャの毛織物工業、アイルランドを中心とするリンネル工業、チェシャ、マンチェスター、サマセットシャを中心とする絹糸生産、およびスコットランドとロンドンを中心とする絹織物生産の発展がめざましい。

繊維産業の発展は、機械産業、製鉄業、石炭、錫、銅、鉛などの鉱業、ガラス、製陶業などにも大きな刺激を与えた。機械の発明は、とうぜんその機械をつくる機械（工作機械）を必要とするにいたるのであるが、工作機械の最初のものは一七七四年に発明されたウィルキンスンの中ぐり盤（シリンダーの内側を削る機械）で、これによって刃物を固定し、材料を回転させながら削ってゆくという装置ができあがったのである。これは、もし中ぐり盤がなければワットの蒸気機関はできなかったであろう、といわれるほどの発明であったが、しかしこの中ぐり盤は材料を削るにしたがって刃物を移動しなければならないという不便があり、この点を改良して工作機械自動化の基本を完成したのが、ヘンリ・モーズリーの送り台（一七九四年）とネジ切旋盤（一七九七年）の発明であった。こうして機械製作は、熟練職人による手づくりの段階から工作機械による機械生産の段階へ移行し、経営的にも、製鉄所や紡績工場に付設されていた機械製造工場が一八二〇年代には自立するにいたるのである。

機械の生産には材料としての鉄が必要である。鉄の生産は大昔からおこなわれていたがイギリスでは一六世紀ころから高炉がつくられ、木炭を燃料とする銑鉄生産がはじまっていた。しかし一七世紀にはいるころから木材が不足しはじめ、燃料問題が深刻化していた。これを解決したのが一七〇九年のダービーのコークス炉であって、ここに石炭が製鉄燃料として利用されるようになるのである。このコークス炉はその後送風装置の改良によって大型化され、一方、一七八三年にヘンリ・コートによって発明されたパドル法は精錬と圧延の工程に画期的な改良をもたらし、錬鉄が大量にかつ安価に生産されるようになった。こういう製鉄業の発展は機械の生産を容易にしただけでなく、鉄橋や、のちに鉄道を生みだすこととなり、またこれまで錬鉄輸入国であったイギリスを、一九世紀のはじめにはその輸出国へと転換させたのである。

石炭産業では蒸気機関による排水ポンプのほかは、通風装置や安全灯の発明があったくらいで、技術革新は大幅におくれていた。それにもかかわらず、生産量が急激にふえているのは、もっぱら労働強化によるものであって、炭坑における過酷な労働条件がイギリス産業革命期のひとつの大きな特徴をなしているのはこのためである。

以上のような工業の発達は農業や運輸手段にも大きな影響を与えた。産業革命とほぼ平行しておこなわれた農業の技術革新は、しばしば農業革命とよばれているが、それは土地の囲込みを前提として、輪作（とくにカブやクローバーの導入）と施肥をおこなうもので、農業の機械化はまだはじまっていなかったが、単位面積あたりの穀物生産量は従来にくらべ一・五倍くらいにふえたと推定されている。ただしエンゲルスも指摘しているようにこの穀物生産の増大も人口増加に追いつくことはできず、一八世紀の中ごろ以来、イギリスは穀物の輸入国であった。

運輸手段の発達は道路、運河、鉄道、汽船という順序ですすんだ。一八世紀の前半までイギリスの道路はきわめて悪く、当時のいちばん良い道路は一、〇〇〇年以上前のローマの占領時代につくられた石をしいた道路であったという。社会的分業がすすむにつれ、道路の改良の必要がさけばれ、一六六三年にロンドン—ヨーク間に最初の有料道路（ターンパイク）がつくられたが、これが普及したのは一八世紀後半のことである。一八世紀の中ごろ、ロンドン—マンチェスター間は駅馬車で四日半かかったというが、一八二四年にはこれが一日の行程となった。ロンドンと北部、西部とを結ぶ主要なターンパイクは第3図のとおりである。

しかしこの時期の道路輸送は馬車によるものであって大量輸送には適していなかった。石炭などははじめから船で海岸沿いに北部からロンドンへはこばれていたのである。そこで船による輸送を内陸にまでおよぼすために運河の建設が一八世紀中ごろからはじまった。一八世紀末における運河の開通状況は第4図のとおりである。

鉄道は、鉄製のレールをしいてその上を人力または馬の力で車を動かす、という形では一七七〇年代から炭坑で用いられていたが、レールの上に蒸気機関車を走らせたのは一八二五年のストックトン—ダーリントン間が最初であった。その後一八三〇年代に鉄道ブームがあるが、鉄道建設が本格化し、ブームが過熱化したのは一八四四年以降、つまりエンゲルスがこの書物を書き終えてからであった。鉄道とならんで蒸気船と鉄造船がつくられ、河を航行したのみで

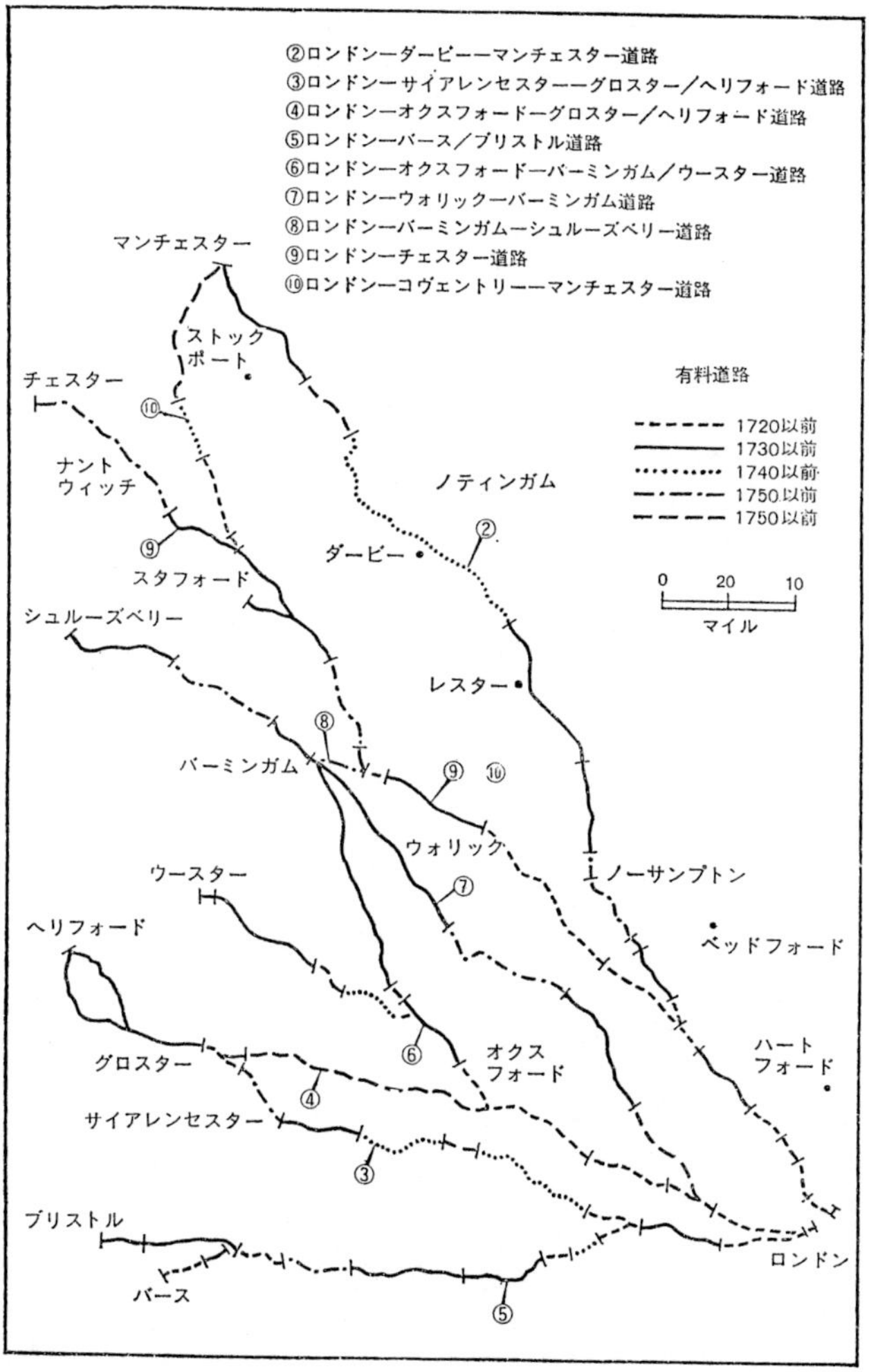

（資料）　W. Albert, *The Turnpike Road System in England, 1663–1840*, 1972.

第3図　有料道路の発展（18世紀）

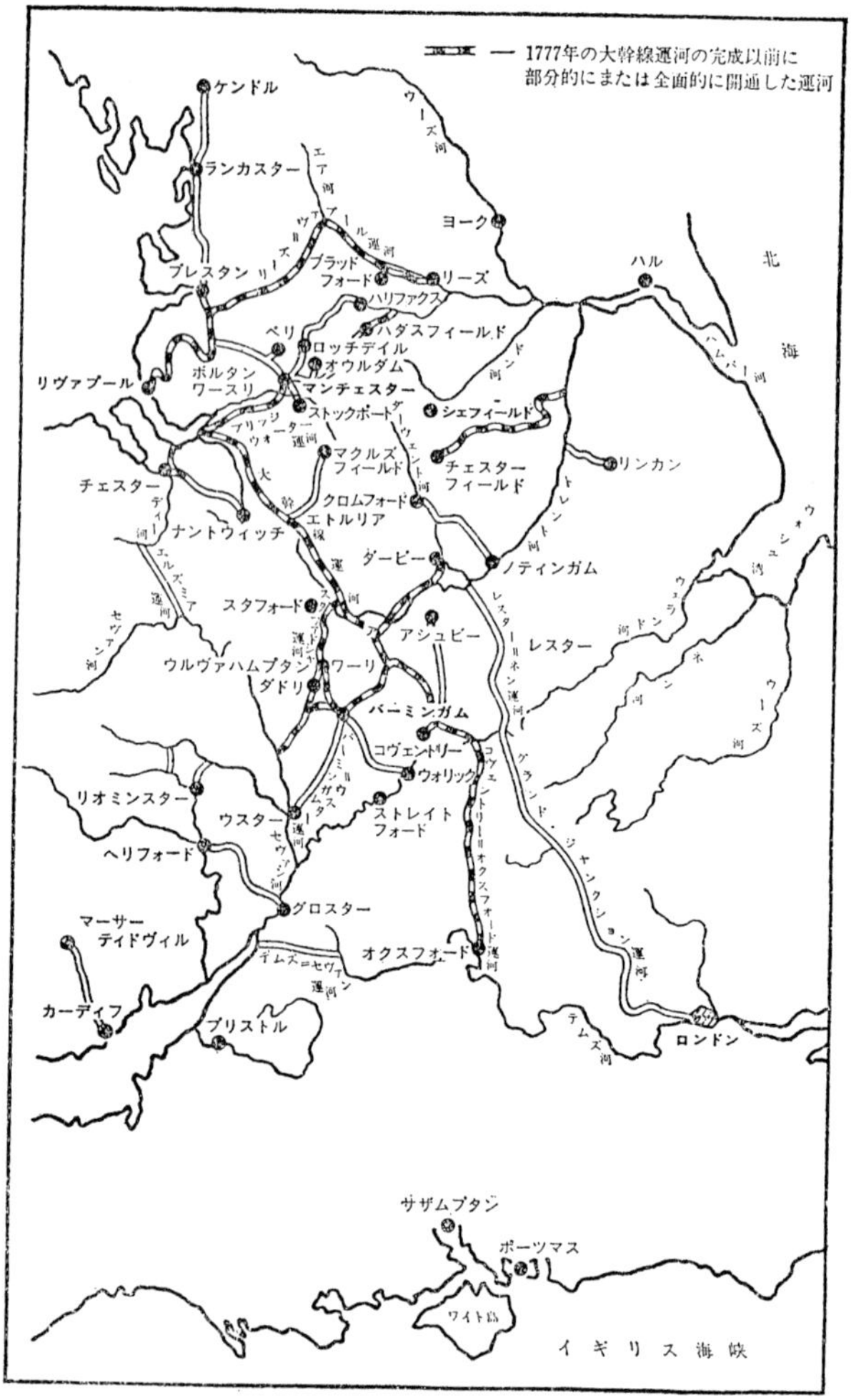

（資料） 第1図に同じ。

第4図 18世紀後半の運河網

なく、一八一九年にはアメリカのサヴァンナ号が蒸気と帆を並用して大西洋横断に成功した。こうして工場のみでなく、運輸手段にも革命がおこったのである。

▽プロレタリアートの成立

産業革命はイギリスの社会をすっかり変えてしまった。エンゲルスは「産業革命がイギリスにたいしてもつ意義は、政治革命がフランスにたいし、哲学革命がドイツにたいしてもつ意義と同じである」とのべているが、社会構造の変化という点では産業革命の影響の方がフランス革命やドイツ観念論哲学よりもむしろ大きいであろう。そしてこの変化のうちもっとも重要なものはプロレタリアートの成立であった。

エンゲルスの推定では、一八四〇年代に大都市の人口のすくなくとも四分の三は労働者階級に属しているとされている。この推定はすこし過大であるように思われるが、いずれにせよ小商工業者や小農民などの中間階級が急激に減少し、プロレタリア化したことは疑いえない。プロレタリア化するということは、たんに賃労働者になるということを意味するだけでなく、ブルジョアになる可能性をも奪われるということを意味する。プロレタリアは一生プロレタリアなのであり、「固定的な一階級」となるのである。しかしまさにそのゆえにプロレタリアートは、親方やブルジョアに上昇しようという方向にではなく、ブルジョアと対決するという独自の運動を展開する可能性をはじめてもつこととなったのであった。この労働者階級の状態をどうするのかということは、いまや国民的な課題となっているのに、中間階級、とくに製造業者たちは、労働者の状態について知ろうともせず、語ろうともしないとエンゲルスは指摘する。かれらブルジョア階級にたいして全労働者階級はふかいうらみをいだいており、このうらみは、あまり遠くない時期に革命となって爆発するにちがいない。エンゲルスがここでどのような革命を予想していたのかはあきらかではないが、この革命にくらべればフランス革命などは「児戯にひとしい」といっているから、たんなる政治革命ではない根本的な社会変革が念頭にあったものと思われる。

2 工業プロレタリアート

プロレタリアートは、たんに工業部門にのみ存在するだけでなく、鉱業にも農業にも存在するし、イギリスにおける工業の発達はアイルランドにも影響を与えている。エンゲルスはケイやギャスケルらが工場労働者しか観察せず、それをもってプロレタリアートのすべてだとみたことを批判し、プロレタリアートの全体をみようとするのであるが、しかし工業プロレタリアートがプロレタリアートの発生の順序からいっても最初であり、また教育程度や階級的自覚からいってももっとも先進的であって、労働運動の中心ともなっているので、考察の中心はやはり工業プロレタリアートにおかれることとなる。

工業プロレタリアートのなかにもまたさまざまな種類があるが、はじめにその共通点をとりあげて全体的な検討がなされている。

すでにのべたように、機械の発明による工場制の成立は資本の集中を必要とし、中間階級を没落させた。それとともに人口の都市への集中が生じ、工業地帯にはぞくぞくと大工業都市が生まれた。こういう都市において、古い伝統的な社会関係はもっとも徹底的に破壊され、「古きよき時代」、「むかしの楽しいイギリス」は完全に忘れ去られてしまった。プロレタリアートが生活しているのはこういう都市なのだから、かれらの生活環境を知るためには都市の状態をしらべることからはじめなければならない。

3 大都市

▽社会的殺人
都市の人間関係を特徴づけているものは、すべての人が自分のことしか考えず、他人にたいしては残酷なほど無関心だということである。こういう個人の孤立という現象は、近代社会一般の根本的な原理であるが、都市においてそれはもっとも露骨にあらわれる。それは「原子の世界」であり、みんなが他人をおしのけ、くい物にして生きている弱肉強食の世界である。それはトマス・ホッブズがいったように「万人にたいする万人の戦争」の社会であり、社会戦争の世界である。

こういう社会ではすべての不利益は貧しいもの、弱いもののうえにかぶせられてくる。貧民は仕事にありついたときには、かろうじて生命をつないでゆくだけの賃金を与えられるが、仕事がなくなると情容赦なく見捨てられ、盗みをはたらくか、そうでなければ餓死する以外にない。エンゲルスはかれがイギリスに滞在していた約二年間に、すくなくとも二〇人ないし三〇人が餓死したとのべている。直接の餓死でなくとも、栄養不良や非衛生的な環境のために病気にかかり、死んでゆくものもあろう。それは一種の間接的な殺人であり、イギリスの労働者はこれを社会的殺人と名づけた。労働者はつねに社会的殺人の犠牲者になるかもしれないという恐怖と不安のなかに生きているのである。

都市のなかで労働者たちはふつう貧民街《スラム》に住んでいる。この貧民街の状態をおもだった都市についてみてみよう。

▽ロンドン

一九世紀はじめのロンドンは、当時のある観察者が「大きなおでき」とよんだように、異常な人口急増のなかで生活環境の劣悪化がいっぺんにふきだしたような状況にあった。ロンドンの西部には上流階級のための高級住宅街が整備されつつあったけれども、中心部にはセント・ジャイルズのような古い貧民街がまだ残っており、東部にはホワイトチャペルや、ベスナル・グリーンのような新しい貧民街が生まれつつあった。一八五一年の国勢調査によると約二五〇万人のロンドンの人口のうち、有業人口はほぼその半分であり、そのうち約七五パーセントは労働者であって、労働者のなかの半分近くは半熟練ないし非熟練労働者として分類されている。このほかに乞食、浮浪者、売春婦などの極貧層がロンドンの最底辺に生活していた。

エンゲルスはこれらの貧民街の住宅事情を具体的にえがいている。貧民たちは「からすの巣」とよばれる共同住宅に、地下室から屋根裏まで、たいていは一家族一室の割合で住みついていた。五、六人の家族で一〇ないし一二フィート四方（約九平方メートルないし一三平方メートル、六畳間か八畳間くらい）の部屋ひとつに住んでいるのもふつうであった。しかもこんな住宅で一週に三シリングとか四シリングの家賃をとられるのである。非熟練労働者の賃金はふつう週一〇シリングぐらいだから、賃金の三、四割が住宅費にとられることとなる。家具はほとんどなく、衣類もろくになくて、ぼろをあつめてそのうえで眠るというようなありさまであった。

それでも、住居をもっているものはまだ幸せだ、とエンゲルスはいう。ロンドンには宿なしが五万人ぐらいいて、そのうち、一月の働きからわずかばかりでも宿賃を残すことができたものは木賃宿へ泊りにゆく。そこではつめこめるだけベッドにつめこまれ、男も女も老人も若者も酔っぱらいも、ごちゃごちゃに眠るのである。宿賃のないものはどうするのか。かれらは公園のベンチや道ばたなどで眠る以外にはない。浮浪者の収容所もいつも満員であった。

▽**ダブリン、エディンバラ、その他**

貧民街はロンドンにだけあるのではない。すべての都市がそれぞれに貧民街をもっている。エンゲルスはそれを、ダブリン、エディンバラ、リヴァプール、ブリストル、ノッティンガム、バーミンガム、グラスゴー、リーズ、ブラッドフォード、バーンズリ、ハリファックス、ハダースフィールドなどについて簡単に概観している。

ダブリンは、一八〇一年にアイルランドがイングランドと合併されるまではアイルランドの首府で、一八四〇年ごろの人口は約二五万人、アイルランド第一の大都会であった。古くからイングランドからの移民の多いところで、アイルランドのなかのイングランドともいうべきところであるが、ここにも広大な「世界でもっとも不快な、もっとも醜いものの一つである貧民街」があった。

エディンバラはスコットランドの古い都で、一八四〇年ごろの人口は約一六万人。上流階級の住む新市街とは対照的に、丘の斜面につくられた旧市街は狭い曲りくねった路地にそってアパートがたちならび、そのなかでときには二世帯が一室に住んでいることもあった。

リヴァプールはイングランド北西部の港町で、産業革命期に綿花輸入貿易で急成長したところ、一八四〇年ごろの人口は約二八万人、そのうち五分の一近い人びとが地下室に住み、またコーツ（囲い地）とよばれる四方をぜんぶ建物でふさがれた土地がいたるところにあった。

ブリストルはイングランド西部の古い港町で、一八世紀に奴隷貿易で栄えたところ。人口は一八四〇年ごろ約一二万人であったが、ここでも、ある調査によると五、九八一家族の労働者のうち二、八〇〇家族（四六・八パーセント）が一部屋またはそれ以下しかもっていなかった（エンゲルスは調査対象を二、八〇〇家族としているがこれは誤り）。

ノッティンガムはイングランド中部の古い町で、靴下あみの中心地であるが、一九世紀はじめにラダイト運動のひとつの中心となったところ。人口は一八四〇年ごろ約五万人で、家屋数は約一万一、〇〇〇戸であるが、そのうち七、〇〇〇～八、〇〇〇戸は背中をくっつけて建てられていて風がまったく通らず、また数戸でひとつの共同便所を使っているのがふつうであった。

バーミンガムは製鉄業の中心地で、一九世紀の前半に人口が七万人から二〇万人以上に急増したところ。ここでもコーツとよばれる囲い地が二、〇〇〇以上もあり、木賃宿も四〇〇軒以上ある。地下室に住んでいる人はいないが、地下室を作業場にしているところはある。

グラスゴーはスコットランド西部の港町で、アメリカとの貿易によって栄え、またスコットランド綿工業の中心地となって、一九世紀前半にエディンバラを追いこし、スコットランド第一の大都市となった。一八四〇年ごろの人口は二七万五、〇〇〇人であるが、そのうち七八パーセントは労働者で、うち約五万人がアイルランド人である。ここでも町の中心部の曲りくねった路地に貧民の住宅が密集し、木賃宿では一五人も二〇人もの男女が裸同然のかっこうで一部屋にざこ寝している、と報告されている。こういうところから伝染病が発生し、グラスゴー市全体をおおってしまうのである。

エンゲルスはつぎにイングランドの綿工業の中心地であるヨークシャ西部とランカシャ南部の工業都市を観察する。このあたりはかれが自分の足で歩きまわったところであった。リーズ、ブラッドフォード、ハリファックス、ハダースフィールドなどは毛織物工業の中心地で、人口は一八四〇年当時、それぞれ約一五万人、六万七、〇〇〇人、二万八、〇〇〇人、二万五、〇〇〇人。ここもやはりラダイト運動のもうひとつの中心地であった。遠くからみると渓谷にそった美しいこれらの町も、一歩そのなかにふみこんでみると労働者街は不潔でせまくるしく、河の水があふれると地下室は水びたしになり、ごみが流れだし、臭気がたちこめていた。労働者のいるところにはかならずスラムがあったのである。

▽マンチェスター

最後にエンゲルスは、かれが「自分の故郷と同じくらいよく知っている」というマンチェスターをはじめとして、ランカシャ南部の工業都市の様子を、こまごまとえがきだしている。それはイギリス産業革命の心臓部ともいうべきところであり、また労働運動発祥の地でもあった。マンチェスター周辺にはボールトン、プレストン、オールダムなどの工業都市があるが、これらはいずれもさきにのべたように人口急増地帯であり、労働者の町であった。その生活環境のひどさについてはくりかえすまでもない。

マンチェスターについてのエンゲルスの叙述は、大きくは四つにわけられる。はじめはマンチェスター全体の概観であって、狭義のマンチェスター市は一八四〇年ごろに人口二三万五、〇〇〇人であるが、周辺部をあわせると約四〇万人に達し、その中心部に商業地区があり、それをとりかこむようにして労働者街があり、さらにその外側に上中流の人びとの住宅街がある。大通りを歩いているだけでは労働者街はみえないようになっており、こういうように「組織的

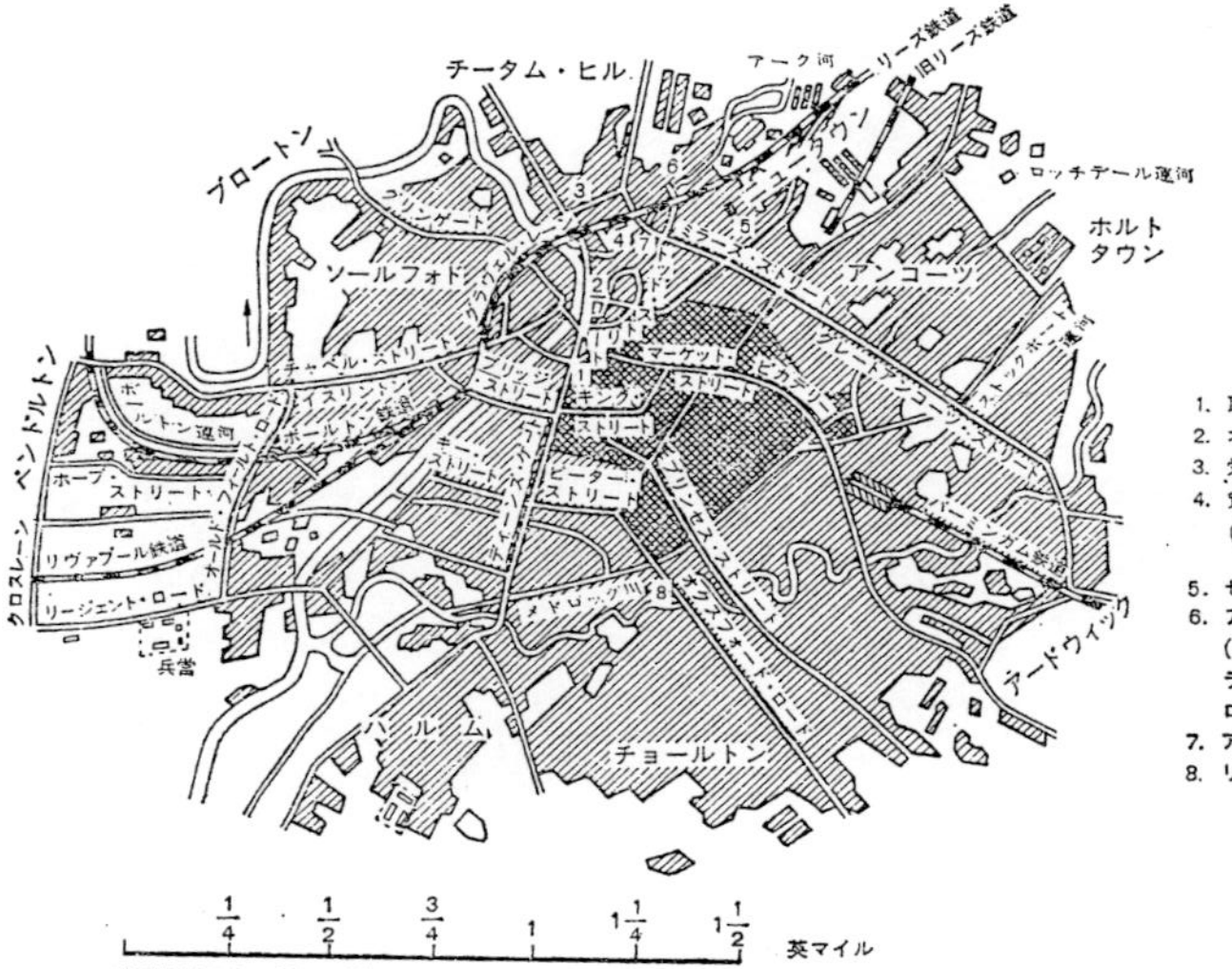

1. 取引所
2. オールド・チャーチ
3. 労役場
4. 貧民墓地
（リヴァプール鉄道駅と
リーズ鉄道駅との間にある）
5. セント・ミカエル教会
6. アーク河のスコットランド・ブリッヂ
（オールド・チャーチからスコット
ランド・ブリッジへの街路は
ロング・ミルゲートといわれる）
7. アーク河のデューシ・ブリッジ
8. リトル・アイルランド

商業地区は格子模様で示してある。

第5図　マンチェスターおよびその郊外の平面図

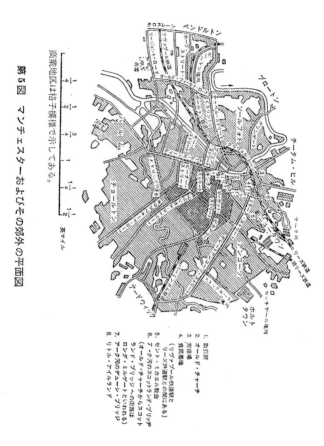

に労働者階級を大通りから隔離して」ブルジョアたちの目にふれないようにしているのは、マンチェスターだけだ、とエンゲルスはのべている。つぎは労働者街そのものの描写であって、これがさらにいくつかの地区にわけられている。労働者街の第一は市の中心部の旧市内でアーク河ぞいの斜面に住宅がたてられ、河は汚物と廃物でいっぱいになり悪臭がたちこめている。コーツという囲い地のなかに建てられた小屋に出入りするには、入口のそばの便所のまわりの腐った大小便の浮いた水たまりをとおらなければならない。アーク河からすこしはなれると建物はややよくなるが地下室住宅があり、囲い地では豚が飼われていて、労働者は豚といっしょに暮らしているのである。こういう旧市街に二万ないし三万の住民が住んでいるのだ。労働者街の第二はアイルランド人町ともよばれる新市街で粘土の丘のうえに荒れはてた小屋がいりくんでたっている。その不潔さは旧市内と同じである。この新市街の東の方にアンコーツという工場街および労働者街がある。ここではほかのところにみられた囲い地方式ではなく、三列に小屋をならべ、裏通りをもうけるという方式で労働者の住宅がたてられているが、これは外見はすこしりっぱにみえるものの、とくに二列目の家は通風が悪く、また材料を節約して建てられているのですぐ荒れてしまう。つぎにアンコーツから南へ下ったメドロック河ぞいに、もうひとつの労働者街がある。ここもメドロック河が悪臭をはなち、住宅とはいえないような小屋が斜面にならんでいるが、とくにひどいのはリトル・アイルランドとよばれているアイルランド人居住区で、約二〇〇戸ほどの小屋に四、〇〇〇人のアイルランド人が居住している。ひとつの小屋には屋根裏部屋と地下室とあと二つぐらいの部屋しかないが、ここに平均二〇人が住んでいるのである。共同便所は一二〇人についてひとつしかない。さらにその南にハルムという労働者街があり、またメドロック側の北側にはアンコーツにつぐマンチェスター第二の労働者街があるが、ここは迷路のようにいりくんでおり、三八〇人にたいしてひとつしか共同便所のないところもある。マンチェスター市の西側にはソールフォード市があるが、この人口五万（エンゲルスは八万といっている）の町は全体が大労働者地区でその不潔さはマンチェスター以上である。

以上がマンチェスターとその郊外に住む三五万人の労働者の住宅の模様である。マンチェスターにコレラが流行したとき、市当局はあわてて労働者街の衛生事情を調査したが、その調査委員のひとりであったケイによると、調査された六、九五一戸のうち、二、五六五戸は早急に室内のしっくい塗りを必要とし、九六〇戸は修理不能の状態にあり、九三九戸は十分な排水設備がなく、一、四三五戸は湿気がつよく、四五二戸は通風が悪く、二、二二一戸は便所がなかった。地下室に住んでいるものは四万人ないし五万人と推定され、定まった住宅をもたずに木賃宿に泊まっているものが毎晩五、〇〇〇人から七、〇〇〇人と推定される。

第三番目にエンゲルスがえがいているのは労働者の衣服で、上中流の人びとが毛織物を着ているのにたいし、労働者は重いごわごわした木綿の服をきており、「ファスティアン・ジャケット」というのが労働者をあらわすことばとなっている。それさえ新品を買うことができず、古着を買っているものもあり、カーライルがいっているところによると、労働者はぼろをまとい、脱いだり着たりすることが難しいので、祝日にしか脱がない、という。アイルランド人は裸足で歩く習慣をもちこみ、裸足で歩いている子どもや婦人がふえてきている。

最後にエンゲルスは労働者の食物についてのべている。労働者は土曜の夕方に賃金をうけとるので、それから市場へやってきて、売れ残りの腐りかけたジャガイモ、野菜、チーズ、ベーコン、肉などを買うが、もっとも貧しい労働者は夜一〇時ころまで待っていて、投げ売りの残りものを買ってゆく。それにつけこんで腐った肉を売ったとして処罰された業者がいたことからも、労働者がいつもどんなひどい肉を買わされているかがわかるであろう。また、小麦粉に石膏や白亜をまぜたり、砂糖やタバコや茶などにまぜものをする不正行為、あるいは不正な秤を使って量目をごまかすなどの不正行為もしばしばある。比較的賃金の高い労働者は毎日肉をたべているが、それより下の層は週に二、三回しか肉がたべられず、その下の層はジャガイモにベーコンをきざみこみ、さらにその下の層になると、チーズとパンとオートミールとジャガイモだけとなり、最下層のアイルランド人はジャガイモしかたべられない。

以上が都市における労働者の生活状態にかんするエンゲルスの叙述である。もちろんエンゲルスも比較的よい状態にある労働者もいるということはみとめているが、労働者のなかの上層とか下層とかは固定的なものではなく、すべての労働者が飢餓状態を経験する危険にさらされているのである。

4　競　争

それではこのような労働者の悲惨の原因はどこにあるのか。エンゲルスはそれを「労働者相互間の競争」にもとめる。労働者は自分で生産手段をもっていないために資本家に雇われ、その奴隷となる以外に生きてゆくことはできない。そのために、どんなに安い賃金でもよいから働こうとして労働者同士のあいだに競争がおこるのである。

では賃金は労働者同士の競争によって無限に引き下げられてゆくのであろうか。もし、極端な場合、賃金がゼロになっても労働者は働くであろうか。そんなことはもちろんありえないのであって、賃金がゼロになれば「労働者は働いて餓死するよりはなまけて餓死する」であろう。ここから賃金はいくら安くなっても最低限の限界があるということがわかるであろう。それは労働者の最低の生存費という限界であり、さらに子どもを一人前の労働者として育てあげるのに必要な最低の費用もこれに加えられなければならない。ただしこの最低の生存費と教育費というのは一定の固定的な額ではなく、労働者の文明化の程度に応じて変化する相対的なものである。

一方、資本家の側も労働者を必要としているのだから、資本家同士のあいだにも競争はおこる。この資本家相互間の競争は賃金を引き上げる作用をするが、この場合にも賃金は無限にあがるわけではない。この場合の賃金の最高限は、資本家の生存費ではなく、資本家の平均利潤である。賃金が上昇しつづけ平均利潤にくいこむようになってくると、資本家はそれ以上の賃金を払おうとしなくなるであろう。このように賃金の最低限と最高限とのあいだで、労働者の平均的欲求、平均的文明度、さらに熟練度などに応じて、平均賃金がきまってくるのである。賃金がこの水準より上回るか下回るかは、労働者相互間と資本家相互間との競争のいずれがはげしいかということによるが、一般的にいえば労働者間の競争の方がはげしい。なぜかといえばイギリスの商工業はほぼ五年を周期として好況と恐慌とをくりかえしており、恐慌期になげだされる失業者は、繁栄の絶頂のごく短い期間を除いては完全には吸収されず、それ以外の期間には常時「失業予備軍」が存在するからである。これらの失業者は道路清掃の仕事をしたり、行商をしたり、乞食になったりしているが、その数はイングランドとウェールズで平均一五〇万人といわれている。けれども、じっさいにはもっと多いであろうし、スコットランドとアイルランドを加えればさらに多数にのぼるであろう。もちろん恐慌時にはその数はさらにふえ、一八四二年恐慌のときには、ついにいくつかの町で暴動がおこるような状態になったのであった。

このように労働者は資本家の意のままに使われる奴隷的存在であるが、古代の奴隷と違う点は、現在の労働者は「自由であるように見える」ということだけである。しかしこの「自由である」ということは、労働者にとってはむしろ不利であって、奴隷と違って労働者は資本家の思いのままに解雇され、ほうりだされる。資本家にとってみれば、アダム・スミスがのべたように、奴隷よりも労働者の方が安くつくのである。またマルサスが世界にはつねに「過剰人口」が存在するといったのも正しいのだが、しかしこの「過剰」というのは現存の生活手段では養いきれないという意味の「過剰」ではなく、労働者の数がその働き口にたいして多すぎるという意味での過剰であり、そしてその原因は労働者相互の競争にあるのである。

5　アイルランド人の移住

エンゲルスはイギリスにおける労働者相互の競争をいっそうはげしくしているものとして、つぎにアイルランド人の移住ということをあげている。

アイルランドはイングランドよりはるかに貧困であり、そのためにすこしでも高い賃金をえようとして年々約五万人のアイルランド人がイギリスへ移住してきており、総計では一〇〇万人以上のアイルランド人がイングランドに定住している。かれらはロンドン、マンチェスター、リヴァプール、ブリストル、グラスゴー、エディンバラなどの大都市に住み、最下層の低賃金労働者となっているのである（エンゲルスのこの書物が出版されたあと、一八四五年にアイルランドでは大飢饉があり、そのため外国への移住はいっそうふえ、さきにのべたように、一八四一年に八一七万人であったアイルランドの人口は、一八五一年には六五五万人に減少してしまった）。熟練を必要としない労働部門のすべてにアイルランド人が進出し、そこでイギリス人労働者の手ごわい競争相手となっているのである。

エンゲルスはアイルランド人を「粗暴で酒好きで将来のことなど心配しない連中」といい、また、不潔で生活程度が低いといっているが、しかしこういうアイルランド人の性格もじつはかれらの貧困によってつくりだされたのだ、という指摘を忘れてはいない。「ほとんど必然的に飲んだくれにならざるをえないような状態に彼をおいておき、いったいに彼をまったく無視し、すさむにまかせておきながら——たとえほんとうに彼が大酒飲みになったとしても、どうして社会は彼をあとになって告発しようとするのであろうか」。さらにつけ加えるなら、こういうアイルランドの貧困それ自体をつくりだしたのは、ほかならぬイギリス人なのであって、一七世紀のブルジョア革命以降の再三にわたるアイルランドの土地とりあげ、アイルランド土着産業の抑圧、貿易面での差別政策などが、アイルランドを飢餓と貧困におとしいれたのである。そしてイギリスのブルジョア階級はこのアイルランド抑圧によって、アイルランド人を低賃金労働者に転化させただけではなく、そのことをとおして、イギリス人労働者の賃金をも引き下げることに成功したのであった。

6 諸結果

以上のようにエンゲルスは、大都市における労働者の生活環境と、労働者の労働条件や生活環境を悪化させる原因となっている労働者相互間の競争とをえがいてきたが、そこから生みだされる諸結果について、つぎにいちおうの概括がなされている。それは大別すれば、労働者の肉体におよぼす影響、その精神におよぼす影響、そして労働者の階級的自覚という三点にまとめることができるであろう。

まず第一に、肉体的影響についていえば、なによりも労働者の健康状態の悪化、死亡率の増大が指摘されなければならない。労働者のあいだでは結核が多く、またチフスなどの伝染病が流行しやすく、さらに栄養不足のために虚弱体質やクル病が多い。あるいは深酒からくる身体障害もある。しかも労働者は満足に医者にかかることができないために死亡率も高く、死亡率にも階級差がはっきりとあらわれているのであって、たとえばリヴァプールでは一八四〇年に上流階級の平均寿命は三五歳、中流階級のそれは二二歳であるのにたいし、労働者階級のそれはわずか一五歳であったという。この平均寿命の短さは幼児死亡率の高いことによるのであって、マンチェスターでは労働者の子どもの半分以上が五歳にならないうちに死亡したといわれている。エンゲルスによれば、このような状態に労働者をおいこんだことは、一種の間接的な殺人行為であるとされ、かれはこれを「社会的殺人」とよぶのである。

つぎに労働者階級の精神的状態については、まずブルジョア階級および国家が労働者にたいする教育をいっさいおこなっていないということを指摘しておく必要がある。労働者が一般的に無知であるのはこういう支配階級の政策のためなのであって、わずかに労働者に教育の機会を提供しているのはイギリスの国教会やそれ以外の諸宗派なのであるが、ここではそれぞれの宗派へひきいれようとする宗教教育が先行し、かえって子どもたちの頭を混乱させているのである。こういう状況に放置され、かつなんの楽しみもない生活をしいられているのだから、労働者が飲酒とセックスという二つの享楽に溺れ、あるいは労働者のあいだで犯罪が増加しているのもとうぜんであろう。とりわけエンゲルスが指摘しているのは、ほんらい人間にとって喜びであるべき労働が、強制によっておこなわれるときには最大の苦痛となるということである。「もしも自由意思による生産的活動が、われわれの知っている最高の喜びであるとすれば、強制労働こそ、もっとも残酷で、もっとも屈辱的な苦痛である。……そもそも労働者はなんのために働くのか？ 創造の喜びにかられてなのか？ 生まれながらの衝動にかられてなのか？ けっしてそうではない。彼はお金のために、労働そのものとはまったく関係のないあるもののために、働くのだ。彼は働かねばならないから働くのであり、またそのうえ、非常に長いあいだ休みなしに単調な労働をするので、すでにこの理由だけからでも、もし彼にいくらかでも人間的な感情があるとすれば、労働は最初の数週間で苦痛とならざるをえないのである」。こういう労働の自己疎外作用によって、労働者はますます「動物化」してゆくのである。

だがエンゲルスは労働者階級のなかに肉体的衰弱と精神的退廃だけを見出したのではない。エンゲルスがここに見出したものは、以上のような非人道的な諸結果を必然的に生みださざるをえないブルジョア社会の解体であり、そしてこれらの諸結果にたいする労働者階級の怒りと抵抗である。この点に、さきにもふれたように、エンゲルスとカーライルやギャスケルやケイや、その他の人びととの決定的な違いがある。たとえ無知文盲であろうと労働者階級はその生活そのものから学び、考え、行動する。「労働者階級は、支配階級にたいして怒りを感じているあいだだけ人間なのである」。労働者はその人間性を守るために支配階級にたいするたたかいを開始し、そのたたかいのなかで、「自分たち全体を階級として自覚しはじめる。労働者は、自分たちひとりひとりは弱いけれども、いっしょになれば一つの力となることに気づく」。こうして労働者階級の階級闘争がはじまる。いまやブルジョア階級は、自分たちがつくりだしたこの悲惨な状態をあらためるようみずから配慮するか、そうでなければ労働者階級に支配の座をゆずりわたすかという、分れ道にたたされているのである。

7　個々の労働部門――狭義の工場労働者――

エンゲルスは、プロレタリアートを、工業との結びつきの度合いに応じて、第一に工業プロレタリアート、第二に鉱山プロレタリアート、第三に農業プロレタリアート（そして第四にアイルランド人労働者）と「序列化」してとらえ、さらに工業プロレタリアートを、「産業革命の長子」としての「工場労働者」とその周辺労働者とに区別する。ここで「狭義の工場労働者」というのは、その区分にもとづいており、事実上は、工場法のもとにおかれていた繊維工業労働者、とりわけ綿工業労働者がその中心である。

エンゲルスによれば、これらの「工場労働者」は、イギリス工業のもっとも重要な部門の労働者であり、「イギリスのあらゆる労働者のうちでもっとも数が多く、もっとも知的水準が高く、もっとも精力的であるが、しかしそのためにまた、もっともやっかいで、ブルジョアジーにもっとも憎まれている階級」である。つまり、エンゲルスは、かれらを、この時期のイギリスの基幹労働者としてとらえていたのである。

産業革命の影響をもっとも早く、またもっとも継続的にうけたこれらの工場労働者の状態にこそ、プロレタリアート一般の状態が、もっとも典型的に示されていると、エンゲルスは考えた。この節に（まえの「大都市」の節とともに）、本書のなかで最大のページ数がさかれていることも、それを示している。

この節の叙述は、機械の出現と改良の結果としての失業と賃金低下、それにともなう家族の解体、婦人・児童労働の実態、そしてより総括的に、工場法、「奴隷制度」としての「工場制度」、むすび、という順序で展開される。

▼**失業と賃金低下**

機械の進歩は、秩序だった社会状態のもとでなら喜んでよいが、「万人の万人にたいする戦争」という状態のもとでは、機械が改良されるたびごとに、労働者は失業し、欠乏、貧困、および犯罪が生みだされる。

エンゲルスがあげる例をみよう。ジェニー紡績機は、一人の労働者によって動かされ、手紡車が同一時間に紡ぐことのできる量のすくなくとも六倍を生産したので、新しいジェニー紡績機が採用されるごとに五人の紡績工が失業した。スロスル紡績機も、ミュール紡績機も、同様の結果をもたらした。以前には一人の紡績工が二、三人の子供（糸つぎ工）といっしょに六〇〇個の紡錘を動かしたとすると、いまでは、かれは二台のミュールで一、四〇〇ないし二、〇〇〇個の紡錘を監視できるようになったから、二人の大人の紡績工と、かれらに雇われていた糸つぎ工の一部が不必要となる。自動ミュール機の導入は、この傾向に拍車をかけることになる（エンゲルスは、ここで、紡績工が糸つぎ工を雇っていること、つまり、労働者が労働者を雇っていることに、さりげなくふれている。この問題は、のちに、二重雇用もしくは共同搾取の問題として議論されることになるが、エンゲルスは、ここでは、いずれもともに労働者であるという基本的認識をつらぬいている）。

エンゲルスは、マンチェスターの一チャーティスト指導者が示している統計に注目している。それによれば、一八二九年には、三五の工場で一八四一年より一、〇八三人も多くのミュール紡績工が雇われていたが、これら三五の工場の紡錘数は、九万九、四二九錘も増大していたし、また八〇人の紡績工がいたある工場では、いまでも二〇人の紡績工が残っているが、そのほかの者は解雇されたか、あるいは子供の賃金で、子供の仕事をしなければならなくなっているというのである。

同様のことは、織物業にもおこった。力織機は、手織機よりもはるかに多量に生産し、一人の労働者は二台の力織機を監視することができるので、ここでも多数の労働者が失業した。

このような問題にたいして、ブルジョアジーはいつもこう答える。すなわち機械の改良は生産費を減少させ、製品をより安い価格で供給することを可能にする。それによって消費が増加するから、失業した労働者も、すぐにまた新しい工場で、仕事をたっぷり見つけることになる、と。だが、とエンゲルスは反論する。かれらは、新工場が建設されるまでに何年間もかかるということをすこしも考慮にいれていないし、また、機械改良の過程がたえずすすんでいて、たとえ労働者が、新しい部門に雇用されるようなことが実際にあったところで、その部門もまた、たちまち労働者から奪いとられてしまうということは口にださない、と。エンゲルスのこの反論は、もちろんまだ十分には理論化されていないとはいえ、たとえば資本の有機的構成の高度化という理論への糸口は示している。

賃金についてはどうか。ブルジョアジーは、出来高賃率は下落したにしても、週賃金は全体として上昇していると主張する。これにたいして、エンゲルスは、たしかに細糸紡績工は、週三〇ないし四〇シリングという高賃金をとっていることを認めるが、それは、かれらが強力な労働組合をもっていることと、細糸紡績が、習得に長時日を要する高度の熟練労働であることの二つの理由によるものであることを示し、他方、太糸紡績工の場合は、自動機械との競争、それによるかれらの組織の弱体化によって、三年前に三〇シリングを得ていたのに、いまでは一二シリング半さえ得がたいし、また、婦人・児童の賃金はそれほど下落していないかもしれないが、それは、かれらの賃金が最初から劣悪だったからにすぎないのであって、現に子供をかかえた寡婦が、週八ないし九シリングかせぐのにたいへん苦労し、しかもそれだけではちゃんとした生活は不可能なことを指摘して、ブルジョアジーの主張に反論する。

かりに出来高賃率だけが下落し、週賃金総額はもとのままだということがほんとうだとしてみたところで、それは、工場主諸公が改良のたびに利益を得ているのに、労働者は雀の涙ほどの分け前さえあたえられていないということでしかないではないかと、エンゲルスはとどめをさす。

このようにして、現在の社会関係のもとでは、新しい機械は、いずれも失業、貧困、欠乏、最悪の不幸をもたらすのであって、絶望からのがれるためには、労働者にはさしあたりは二つの道しか開かれていないと、エンゲルスはみる。ブルジョアジーにたいする反抗か、酒と放蕩かである。エンゲルスは、イギリスのプロレタリアートの歴史が、機械にたいする幾百回の暴動の歴史を伝えていることを想いうかべ、放蕩が、現存秩序にたいする絶望的反抗のもう一つの徴候だとみているのである。

しかしエンゲルスは、それらを、真の解決だとはもちろんみていない。エンゲルスはいう。「機械が労働者の役にたったことといえば、たった一つのこと、すなわち機械が社会改革の必然性を労働者に納得させ、この改革によって、機械はもはや労働者に敵対して動くのではなく、労働者の利益になるように動くようになることを納得させたという点である」（傍点は原文）。

エンゲルスは、この正論のやいばを、つぎには痛烈な皮肉のやいばにかえてブルジョアジーを斬る。すなわち、せまい、新しい機械と、工場の外で競争しなければならない、もっとも虐待されている手織工、せまい、しめり気の多い作業場で、毎日一四時間ないし一八時間も働いても、週に一〇シリング以上はかせげない手織工、そのうえ失業したすべての労働者やアイルランドからの移民が逃げこみ、あふれている最後の避難所である手織業を指して、「工場労働者はいい生活をしているのに、これらのあわれな織工たちは、どんなに欠乏に悩まなければならないことか。このような事実を見たうえで、工場制度について判断をくだしたまえ！」と「勝ち誇って」さけぶブルジョアジーにたいして、エンゲルスはいう。「まるで工場制度とその一部をなす機械とは、手織工をこれほどひどく没落させた下手人ではないかのような口ぶりである」と。

▽家族の解体

機械はますます手労働を、したがってまた成年男子労働者を駆逐する。このことにエンゲルスは格別の注意をむけ、一八四四年の下院におけるアシュリ卿の報告を引用する。それによれば、一八三九年のイギリスの主要繊維工業における工場労働者四一万九、五九〇人のうち、一八歳以上の成年男子労働者は九万六、五九九人、すなわち総数の二三パーセントでしかない。綿工場では、総労働者の五六・二五パーセント、羊毛工場では六九・五パーセント、生糸工場では七〇・五パーセント、亜麻紡績工場では七〇・五パーセントが女性であった。「これらの数字は、成年男子労働者の排除を証明するのに十分である」。ここから、「現存社会秩序の転倒」という結果が必然的に生じてくるとエンゲルスは考える。

現実の社会状態のもとで婦人の労働がもたらすもっとも重大な結果は、家族が完全に解体されるということである。労働する主婦たちは、たとえば、あとで述べる理由から、分娩後はやくも三日か四日でまた工場に帰ってくることがよくある。かの女たちの赤ん坊は、家に残されるのやりくりのはてに、子供たちを静かにさせておくために、麻酔剤が使用されることさえある。

主婦の労働はまた、たいへんしばしば、家族の解体ではなく、家族の役割の転倒をもたらす。妻は家族を養い、夫は家事をする。エンゲルスは一労働者に語らせている。「にょう房のやつは工ばさいってるだ。五じ半にゃでかけて、ばんの八じまではたらかなきゃなんねぇだ。そいでにょう房のやつはくたくたになっちまうんで、うちにけぇたってなんにもできねぇんだ。だからおいらは、おいらのできることならなんでも、あいつのかわりにやらなきゃなんねぇだ。おいらにゃからっきし仕ごとがねぇからなんだ。この三年以上もねぇんだ」。

このように男性を去勢し、女性からその女性らしさを奪っておきながら、男性に真の女性らしさを、女性に真の男性らしさをあたえることのできないような状態、両性およびそのなかにある人間性を、もっとも卑劣なやり方ではずかしめている状態が、こともあろうに、大いに称賛されているわれわれの文明の最終の成果なのだと、エンゲルスは糾弾する。

ただしエンゲルスは、この「さかだち」をもう一度もとへもどせばいいと単純に考えているのではない。「将来、いまの社会の家族が解体するときには、これまで家族をつなぎとめてきた紐帯が、とどのつまりは家族愛ではなくて、転倒した財産の共有のなかに必然的に温存されていた個人的利益であった、ということが、この解体をつうじてはじめて明らかになる」と、エンゲルスは考えていた。ここで提示された問題は、後年『家族・私有財産および国家の起源』(一八八四年)のなかで、さらに解明されることになる。

▽婦人・児童労働の状態

産業革命の諸結果のもっとも悲惨な断面図のひとつとして伝えられているのは、婦人労働であり、とりわけ児童労働である。エンゲルスは、おもに、一八三三年にだされた工場調査委員会の報告(その性格については後述)を引用しながら、その実態を克明にうきぼりにしている。

工場的隷属が、雇主に初夜権をさえあたえていたことをはじめとして、若い婦人労働者が、工場の内外で、おそるべき性道徳状態のもとにおかれていたことを示したのち、エンゲルスは、工場労働が、女性の生理状態におよぼす影響に目をむける。

この問題を正しく判断するためには、児童労働と労働方法そのものを考察する必要がある。新しい工業がおこると同時に、児童は工場で使用された。当時、児童は、救貧院から集団的に「徒弟」として工場主に賃貸しされ野蛮きわまりない取扱いをうけた。一八〇二年の法律(八四―五ページ参照)は、それを是正し、労働をはじめる年齢もいくぶん高くなったが、多くの児童は

賃金の支払いを受ける少女達

九歳になると工場にやられ、一日六時間半（もっとまえには一二時間ないし一四時間、それどころか一六時間も）、一三歳になるまで働き、それから一八歳までは一二時間働く。そのうえ資本家は、建物および機械に投下した資本からより有効に利益をひきだすために、夜間労働というあさましい制度を採用した。一組が昼間一二時間働き、もうひとつの組が夜間一二時間働く。ときには交替なしでぶっとおしで働かされる。それが、児童の健康状態に、そして大人のそれにさえ、どんな圧迫をおよぼすかは明らかである。衰弱と虐脱、脊椎と脚の彎曲、それに精神的・道徳的弛緩がくわわる。男子でさえ、工場労働者は兵役に不適だといわれ、非常に早くふけこみ、たいていの者は四〇歳で働けなくなるという指摘もみられる。

長時間の工場労働がおよぼす影響は、女性の場合、もっと厳粛なものとなる。骨盤の奇形、重いお産、頻繁な流産がそれである。かの女たちは、妊娠したとしても、分娩の時間がくるまで工場で働く。しかもそのうえ産後も、多くの者ははやくも八日後に、それどころか三日ないし四日後には、工場にもどって時間いっぱい働きとおす。失業の心配がかの女たちをかりたてるのである。エンゲルスの重いことばを聞こう。「工場主の利害は、自分の労働者が病気を理由に家にいることをゆるさない。彼女たちは病気になってはならないのだ。彼女たちは、産褥につくようなことをしでかしてはならないのだ……」。

さらに工場自体が病気をうむ。たとえば糸状のごみが飛散する綿および亜麻紡績工場、とくに梳綿室や梳麻室では、これが、胸窄症をうみだし、最悪の場合は肺結核となることが、医師の証言で示される。

そしてさらに、重大な性質の事故がくわわる。多くの事故が、労働者が機械の動いているときにその掃除をしようとしておこる。なぜか。ブルジョアは労働時間をかすめとるためには休憩時間中に機械を掃除させようとするが、「あらゆる自由な時間は、労働者にとっては、……生命の危険をおかすほど値うちのあるものなのである」と、ここでもエンゲルスの逆説はするどい。

「ただブルジョアジーの財布をふくらませるためだけに、女は石女《うまずめ》にされ、子供は不具にされ、男は虐弱にされ、手足はおしつぶされ、全世代が虐弱と不治の病を伝染されて、破滅するのだ!」。

なお、エンゲルスは、ここで問題を、たんに労働時間、労働強度、そして労働環境の問題としてのみ論じていたのではなく、機械制大工業そのものが労働を一面化するという観点をも提示して議論を展開していたことに注目しておく必要がある。

▽工場法

前項で象徴的に示された工場制度の破壊的な作用は、すでにはやくからイギリス国内で一般的な注意をひきはじめてはいた。

一八〇二年の徒弟法を経て、そのご、エンゲルスが「のちのイギリス社会主義の建設者」とよぶロバート・オーエンの努力などの結果として、一八一九年、一八二五年および一八三一年の工場法が獲得されたが、はじめの二つの工場法はまったくまもられず、最後の工場法はただ部分的にまもられたにすぎなかったと指摘したうえで、エンゲルスは、そのごの工場法問題の展開に、独得の分析をくわえていく(工場法の歴史については、本書第2章、八四―八ページにくわしくふれてあるので参照されたい)。

まずエンゲルスは、工場法をめぐるトーリとウィッグのゆがんだ確執に照明をあててみせる。マイクル・サドラーにひきいられたトーリ党「人道派」は、一八三二年に工場制度調査委員会報告(サドラー報告)をだすが、それは、エンゲルスの目からみても、工場制度の反対者によって書かれたもので、たしかに真実はふくんでいるが、しかしさかだちした、かたよった、党派的な報告でしかなかった。

自分たちをまるで化け物のようにえがいたこの報告をみてびっくりした工場主たちは、おりしも政権の座を占めたウィッグ党のもとで、自由主義的ブルジョアだけで構成される委員会を手に入れ、一八三三年に工場調査委員会報告をあらためてだす。エンゲルスは、この報告は、まえのサドラー報告よりもいくらか真実に近くなっているが、真実からそれている点は、サドラー報告とは反対の面にあると指摘する。

エンゲルスは、この報告が、いたるところで工場主にたいする同情と、労働者にたいする嫌悪の情を示しており、どこにも労働者が人間らしい生活をする権利を認めておらず、公然かつ露骨な野蛮行為という点で工場主を非難したサドラー報告とちがうところといえば、それらの野蛮行為が、「文明と人道という仮面」のもとでおこなわれていたということが明らかになったことくらいであるとしながらも、それにもかかわらずこの報告が、工場主たちの汚れをあらいおとすことはついにできなかった点に注目する。エンゲルスが本書を書くにあたって、この報告を頻繁に引用しているのは、そのためである。

この報告の結果が、一八三三年の工場法であり、それは一〇時間労働を実現しなかったが、工場医と工場監督官の任命、一四歳未満の児童労働者の強制就学等を規定せざるをえなかったのである。だが工場主の多くは、法律を公然とおかし、告発されるがままにまかせさえしている。「罰金をかけられたところで、違反によってえられる利益にくらべると、それははるかに少なくてすむからである」。

一八四一年に成立したトーリ党政府は、ふたたびその注意を工場法にむけ、一八四四年法がうまれるが、一〇時間労働の実現にはいたらなかった。エンゲルスは、トーリ党員の多くが、内閣を倒されるよりも、むしろ法案を犠牲にすることをのぞんだからであるとして、当時、労働者に「工場児童の王様」とよばれたオースラーの存在にもかかわらず、トーリの限界を指摘する。

エンゲルスはしかし、工場主の反対にもかかわらず、「労働者がのぞんでいるものは、労働者が手に入れることのできるものである」と断言して、一〇時間法案がごく近々議会を通過することを予言する。事実それは一八四七年に成立する。

最後にエンゲルスは、一〇時間法案がイギリスの対外競争を不利にするというブルジョアジーの論拠にふれて、それは半分はほんとうだとしながら、だがそれは、イギリスが工業の発展を維持するためには、労働者のあらゆる世代を社会的・肉体的・精神的に荒廃させるしかないということ以外には、なにひとつ証明していないと根本的批判をあびせる。

エンゲルスが一〇時間法案に注目するのは、それが、イギリスをこれまで歩いてきた道とはまったくちがった道にみちびくにちがいない、そのいみで一〇時間法案はひとつの「進歩」であるとみたからである。この観点は、一八六四年、第一インターナショナルの「創立宣言」において、マルクスによってふたたび照明があてられる。

▽工場制度——奴隷制度

エンゲルスは、ついで、工場制度にたいする総括的な論告にすすむ。

第一に、工場労働そのものがとりあげられる。工場労働は、労働者の思考をうばい、労働者の精神的活動を妨げる。それは、まったく退屈なもの、もっとも抑圧的で、労働者をもっとも疲労させるものである。それは労働者の肉体的・精神的力を完全に腐朽させてしまう。人間を愚鈍にするには、工場労働よりよい方法は見つからないとさえエンゲルスはいう。

「それにもかかわらず、もしも工場労働者が自分の知性を救いだしたばかりでなく、その知性をほかの労働者より以上に完成し、鋭くしたとすれば、これもまた自分の運命とブルジョアジーにたいする反逆によって、はじめて可能となったのである」。すなわち、論告をくだすのは、労働者自身なのである。そして、もしもブルジョアジーにたいするこの憤怒が、労働者のなかで支配的な感情とならないときには、その必然的な結果は、一般に堕落といわれるいっさいのことであると、エンゲルスはつけくわえる。エンゲルスは、そのいみで「堕落」を驚くにあたらないとみる。

第二には、工場規則の実態が暴露される。

工場では、工場主は、絶対的立法者であり、思いのままに工場規則を発布する。規則は「契約」の内容となり、違反にはすべて罰金が課される。いわく、遅刻、途中の束の間の職場離脱、鋏をわすれた労働者、道具をこわした労働者、（予告なしの解雇はできるが）予告なしの退職、仕事中の雑談、これらすべてに罰金もしくは弁償がまちうけている。このような厳格な規律は、軍隊の場合と同じように、ここでもやむをえないのだという弁護論にたいして、エンゲルスはこたえる。「なるほどそうかもしれない。だが、こうした恥ずべき暴虐な行為なしにはなりたたない社会秩序とは、いったいどんなしろものなのか？」。

エンゲルスは、ある工場の時計が、町の公式の時計よりも晩は一五分おくれ、朝は一五分もすすんでいた例や、製品を検査するさいに、罰金のかけ方がすくなすぎたために解雇された倉庫主任の例もつけくわえている。

第三には、労働者を工場主に従属させるのにとくに貢献している二つの制度──トラック・システム（現物給与制度）と小屋制度とがとりあげられる。

トラック・システムは、賃金制度の初期にみられたもので、賃金を、現物で、または特定の売店のみで通用する一種の商品券で支払う形態である。それは、とくに賃金の実質低下につながるものとして労働者の不満をあつめており、一八三一年にトラック法（現物給与禁止法）が制定され、その結果、大部分の労働者はその弊害からまもられることになったが、エンゲルスが指摘しているように、農村部で、またとくに炭坑地帯で、それはなお残存していたのである。

小屋制度は、これも炭坑地帯に典型がみられるが、雇用確保のために労働者用住宅を建てる必要にせまられた工場主によってはじめられた。それは、工場主に借家人と家賃を保証しただけでなく、労働者がストライキに入った場合には、住宅から追い出すというかたちで争議破壊の手段ともなったのである。

▽むすび

以上が、ゆるすかぎり公平に述べた工場制度であり、このような状態をみて、無関心でいることは、まさに「犯罪」だといわなければならないと、エンゲルスはいう。

最後にエンゲルスは、一八四五年の「自由なイギリス」の状態と、ノルマンの領主の鞭のもとにあった一一四五年の農奴的サクソン人の状態とを比較することで、「自由なイギリス」に、みごとな本質的・歴史的規定をあたえている。

すなわち、領主と農奴の関係は、習俗そのものと、習俗に一致していたためにまもられていた法律とによって規定されていた。他方、工場主と労働者との関係は法的基盤にもとづいているが、その法律は、工場主の利益にも習俗にも一致しないためにまもられていない。領主は、土地といっしょでなければ農奴を売ることはできなかったが、ブルジョアジーは、労働者に自分自身を売ることを強制する。農奴も労働者も、ともにものの奴隷である。しかし農奴は、自分の生きるための保証を、封建的社会秩序のなかにもっていたが、自由な労働者は、なにひとつ保証をもっていない。農奴の主人は未開人であり、かれは農奴を一匹の家畜とみなしたが、労働者の主人は文明人であり、かれは労働者を機械とみなしている。ただ、一方のがわの隷属はいつわりがなく、おおっぴらで、あからさまであるが、他方のがわの隷属は、偽善的で、おおいかくされている。だが後者は、すくなくとも外見上は自由の権利を認める。とにかく自由の原理がつらぬかれているかぎりにおいて、そこには、むかしの奴隷制にたいする歴史的な進歩がある。

このように、「自由なイギリス」に本質的・歴史的規定をあたえたうえで、エンゲルスは、被抑圧者は、もちろんこの原理が実施されるように努力するであろうと付記している。

8　その他の労働部門

すでに述べたように、エンゲルスは、工業プロレタリアートを、「工場労働者」と、その周辺労働者とに区分した。ここでは後者の状態がとりあげられる。その際の視点は、工場制度が、どの程度それらの労働部門にはいりこんでいるか、またどう影響しているかという点におかれている。

大別すれば、繊維関連部門、金属製品部門、そしてその他の若干の部門について観察がくわえられている。これら労働諸部門では、工場制度が導入されている場合でも、工場法が適用されておらず、いわば原生的労働関係が貫徹されており、したがっていずれについても、工業プロレタリアートについていわれたことが、しばしばよりきびしいかたちであてはまるというのが、エンゲルスの結論である。

▽繊維関連部門

これらは、工場法が適用される工場から原料をうけとる諸部門であり、第一に、ノッティンガム、ダービーおよびレスターの靴下（メリヤス）編工がとりあげられる。

大型編機の採用がすすむなかで、以前は二〇シリングはかせいだ編工が、毎日一六～一七時間も働いて、週六～七シリングという低賃金におちいっており、日曜労働さえおこなわれている。それは、エンゲルスはふれていないが、一八一〇年代に、これらの地方のこの部門でも展開をみせたラダイトの運動（機械破壊運動、それは単に機械の採用に反対するというだけではなく、「暴動による団体交渉」という意味ももっていたことが、のちの研究によって明らかにされてきた）の基盤を想起させる。

それにもかかわらず、かれらは、自分たちが自由であって、食事、睡眠、仕事の時間を割り当てる「工場の時鐘」をもっていないことを誇りとしているという報告をエンゲルスは引用している。

もうひとつ注目されるのは、エンゲルスがここで、かれらの低賃金を、おなじく低賃金のドイツの靴下編工との競争の結果でもあると指摘していることである。

第二には、靴下編工とほぼおなじ地方を中心地とするレース製造業であるが、ここでも工場化、蒸気力化がすすむにつれて、一方では成年男子労働の排除が、他方では工場の二四時間稼働化がすすむが、それらにともなって、糸巻き、糸通し、レースぬき（つなぎの糸をぬきとって一枚一枚のレースに仕分ける）の労働にたずさわる児童の問題が、肉体的にも道徳的にも一層深刻化している。たとえば黒内障による不治の盲目、脊椎の彎曲、深夜労働にともなう道徳的害悪等は、その一端でしかない。

手編レースの部門では、通風のわるい作業場、かがんだ姿勢の持続が、年少労働者を肺結核においやる。売春のひろがりも報告されている。「これこそ社会が、レースを身にまとうという楽しみを、ブルジョアジーの美しい貴婦人のためにあがなう価格なのである」と、エンゲルスは、問題をするどく対照的にとらえる。

第三には、ランカシャ、ダービーシャおよびスコットランド西部にみられる更紗捺染工場であるが、エンゲルスによれば、イギリス工業諸部門中、機械の採用が、これほど輝かしい成果をもたらしたことはない。蒸気力で動くシリンダーで四色ないし六色を同時に捺染する発明は、手工労働を完全に駆逐してしまった。手染工が窮乏化した反面、機械で働く労働者の賃金はかなりいいことが知られているが、法的規制をうけない工場制度のもとで、しかも流行に左右されやすいという事情もくわわって、かれらの労働時間はおそろしく不規則化している。

その他では、塩素を多用することできわめて不健康な漂白工、それとくらべて健康的で、賃金も平均以下ではない、例外的な染色工、機械織機の普及の結果、糸目が一様になり熟練の必要がなくなった、したがって賃金がいちじるしく低下したビロード剪毛工、そして下請的家内労働の形態のもとで、とりわけきびしい納期の設定によって収奪されている絹織工等について、工場制度の影響のひろがり方が示されている。

▽金属製品部門

金属製品が、イギリスでは衣料につぐ重要な生産物であるという認識のもとに、比較的優良な製品を製造するバーミンガム、粗鉄製品のスタッフォードシャ、そして刃物類のシェフィールドという三地域がとりあげられる。

バーミンガムについては、小親方―徒弟という、伝統的な手工業的性格を維持している部分と、工場制度が完全に支配している部分とがあり、後者については、前節でみた、工業プロレタリアートの一般的特徴がそのまま見いだされる。

前者の小親方―徒弟という労働組織は、金属加工業においてかなり一般的にみられた形態で、小親方は、自宅に仕事場をもっているか、蒸気力が必要な場合には、大きな工場の建物のなかの仕切られた仕事場を賃借りするか、いずれかであったが、いずれにせよかれらは、相互間の、また大資本家とのあいだの、骨身をけずる競争にさらされていた。

エンゲルスは、これらの小親方を、一部は徒弟の労働に依拠しており、労働〔力〕ではなくて生産物を売っているのだから、「ほんもののプロレタリアートでもない」し、それかといって、生活の大部分はみずからの労働に依拠しているのだから、「ほんもののブルジョアなどではなおさらない」と規定し、かれらが、政治的に急進的な都市であるバーミンガムにおいて、労働運動に全面的に参加することがめったになかったのは、その「媒介的な地位」のせいであるとみている。

スタッフォードシャの鉄工業地方では、工場は比較的少なく、小親方と一人または数人の徒弟からなる小鍛冶屋が多いが、徒弟の状態は、バーミンガムにくらべてはるかに劣悪であり、少女をふくめた一〇歳か一二歳からの児童がハンマーをふるうなど、重労働と栄養不足から、発育不良、奇形化、道徳的感情の低下などがあらわれている。

刃物類で知られるシェフィールドでは、賃金も労働者の見かけの状態も比較的よくみえるが、そのかわりいくつかの労働部門は、健康にたいしてとくに有害だという問題がある。とりわけ研磨工喘息の症状は悲惨をきわめ、乾式研磨工の場合は平均寿命は三五歳にも達しないし、湿式研磨工の場合でも四五歳に達することはめったにないと、エンゲルスは、一〇年前の証言であることを明らかにしたうえで、書きとめている。エンゲルスはさらに、その予防の試みがそのご部分的には成功したが、研磨工自身が、その試みの実施の結果、労働者間の競争がはげしくなり、賃金が低下するか仕事をうばわれることをおそれて、それに反対しているという矛盾を指摘している。かれらは「短くても、太い一生」をのぞんでいるのだ。そのことを、すくなくとも間接的に反映しているこの地方の労働運動の凶暴な性質には、あとでふれることになる。

つぎにエンゲルスは、機械製造業について、きわめて特徴的であるといっていいほど簡単にふれている。すなわち、失業をいたるところでもたらしたその機械の製造業において、労働者は「仕事をふたたび奪いとられることになった」としている。エンゲルスはまた「機械による機械の製造」ともいっている。このことは、すぐあとでみるかれの手工業のとらえ方とも関連するが、この段階において、そしてまたこの機械製造業部門において、なおまだかなり残存していた手工業的性格を、エンゲルスがやや過小に評価していたことのあらわれであるようにもおもわれる。

そのあとエンゲルスは、製陶業とガラス製造業が、それぞれの労働の性質から、労働者に、とくに児童におよぼす固有の悪影響にふれたのちに、以上の諸考察の基礎資料としてきた一八四一―三年の児童雇用委員会報告の内容の総括にうつっていく。

▽む す び

エンゲルスは、工業のあらゆる部門に工場制度がしだいしだいに、だがいっそう確実に侵入していることを、この報告が立証しているとみる。それは、婦人、とりわけ児童の雇用をつうじて明らかであるとみる。前項まで述べられた諸事実は、その一端を示すものであった。こうして、全体としては、いたるところで機械利用の不可避性が、それとともに労働者を大資本家の手中にひきわたして、営業と所有との集中が、たえまなくすすむ。要するに、大資本家と無産労働者とへの社会の分裂は、日々先鋭化していくと、エンゲルスはみたのである。

それは、歴史の大局的認識としては、もちろんあたっていた。その認識なしに、この時代と社会の本質をとらえることは不可能であったというべきである。

このことから、手工業者（手工業職人とよみかえたほうがいい）の運命は、一面ではあきらかであり、事実エンゲルスは、さきの指摘にすぐつづけて、その没落の運命を予告している（さきにふれた、手工業的性格の残存についてのエンゲルスの過小評価の一因は、ここにある）。

しかし、エンゲルスは同時にまた、手工業労働が、工業運動（すなわち産業革命）がはじまってこのかた、「ほとんど変化していない」ことにも注目する。しかし、固有の工業労働者との接触、大資本家の圧迫、大都市生活の影響、そして賃金の下落が、ほとんどすべての手工業職人を労働運動の積極的参加者にしてしまった（あとでみるように、エンゲルスはクラフト・ユニオンを念頭においている）と述べ、次節「労働運動」へのつながりを示唆している。

再三ふれたいわゆる過小評価問題にもかかわらず、歴史の大局（産業革命と両極化の進行）と、当面の一局面（手工業的性格の残存）とが、ここで事実上は接合されているのである。

なおエンゲルスは、この節の最後で、すでにレース製造業のところでふれたあの対照性を、着かざったブルジョア貴婦人と、かの女らをかざりたてるためにロンドンの屋根裏部屋で極貧の生活をつづける裁縫女工等との対照性として、ふたたびうきぼりにしてみせる。

9 労働運動

エンゲルスは、以上のようなイギリスの労働者の状態を述べるなかで、労働者は、ただブルジョアジーにたいする憎悪と反抗をつうじてしか自分の人間性を救うことはできないということを、証明もし、主張もしてきた。

労働者の、その憎悪と反抗がどのように展開されてきたかが、ここでの主題である。エンゲルスは、われわれは、いくつかの暴行や、蛮行をさえ報告しなければならないのだが、イギリスでは社会戦争が公然とおこなわれているということを、いつも考慮に入れておかなければならないと、まえおきしている。

叙述は、労働組合の形成過程、その評価、チャーティズム、イギリスの社会主義、そして小括という順序で展開される。

▽労働組合の形成

エンゲルスは、ブルジョアジーにたいする労働者の反抗の最初の、もっとも未熟で、もっとも無益な形態は犯罪であったととらえる。犯罪者は、その窃盗によって、ただばらばらに、現存の社会秩序にたいして抗議することができたにすぎない。

労働者階級が「階級」として、はじめてブルジョアジーに敵対したのは、かれらが機械の導入にたいして暴力的に反抗したときであると、エンゲルスはみる。かれは、これもまた、「散発的なもの」、「現状のただ一つの面」にのみむけられたものととらえる。

のちにマルクスも『資本論』で、「労働者が、機械と機械の資本主義的使用とを区別し、そして、それとともに自己の攻撃を、生産の物的手段から自分たちを搾取する社会的形態に向けることを知るまでには、一定の時間と経験とを必要とするのである」という認識を示すことになるが、その原型がここにある。

もっとも、それらのうちこわし運動（ラダイトの運動）は、もっぱら機械を対象としただけではなく、原材料や完成商品なども対象としたことが明らかになった現在では、それは「暴動による団体交渉」という意味ももつものであったととらえなければならないということは、さきにふれたとおりである。

機械は採用され、労働者は、ブルジョアジーに反対する「新しい形態」を見つけなければならなくなった。それが「労働組合」であったと、エンゲルスはみる。

一七九九年以来の団結禁止法のもとにおいてさえ、秘密団体として存続してきた労働組合（名称はどうであれ）は、一八二四年に同法が撤廃されたことによって、急速に発展をとげることになるが、その労働組合の特徴を、エンゲルスはつぎのようにえがいてみせる。

すなわち、その目的は、ひとりひとりの労働者を、ブルジョアジーの暴虐と無視からまもることであり、具体的には、ひとつの職業における賃金を、すべてどこでも同じ高さに、しかも一般的に認められる水準にたもつことが目標となる。そのために、資本家と団体交渉をおこない、一定の賃金水準を拒否する資本家のもとでは働くことを拒否するし、また徒弟の採用を制限することによって、労働者にたいする需要を、したがってまた賃金水準を、維持しようとするし、失業した労働者は、直接に組合費によって救済されるか、または、身分を証明するカードをもって、「渡り職人」として各地を遍歴して、同業仲間の救済をうけるか仕事をみつけてもらうかする。そして、組合を運営するために、有給の組合長および書記が任命され、委員会がおかれる。また、個々の地域の同職組合が、連合する場合もあったが、単一の全国組合をつくろうとする試みは、すべて失敗におわった（八一－二ページ参照）。

みられるとおり、エンゲルスがここにえがきだしている労働組合は、内容としては、クラフト・ユニオンそのものである。

クラフト・ユニオンは、徒弟制を基盤として、手工業職人が、それぞれの職業ごとに、しかも閉鎖的に、はじめは地域分散的に、しかしのちには全国的に（一八五一年の合同機械工組合＝ASEが最初の典型である）結束した労働組合の一形態であるが、研究史的には、一八九四年、ウェッブ夫妻がその古典的著作『イギリス労働組合運動史』において、ASEに象徴されるクラフト・ユニオンを、「新型組合」と名付け、それを、一九世紀イギリス労働組合運動の中軸とする史観を展開したのにたいして、そのごG・D・H・コールをはじめとして、たとえば綿工業および鉱山に、クラフト・ユニオンとは異なる形態の組合が存在し、しかもそれらが無視できぬ活動を展開してきたことを強調する史観が対置されてきたという経緯がある。

もちろんエンゲルスは、このような論争を関知していないが、すでにみたように、この時期の基幹労働者を「工場労働者」とみて、手工業職人を軽視する傾向をもちながらも、結果的には、なお両者を接合する視点をもっていたともいえるであろう。つまり、エンゲルスは、その他の箇所の叙述からも明らかなように、事実上は、クラフト・ユニオンとは異なる他の形態の労働組合の存在を了解していたとおもわれるのだが、それにもかかわらず、エンゲルスがここで、クラフト・ユニオンに労働組合を代表させているのはなぜかという問題がのこる。

これは、検討を深めるべき問題であるが、エンゲルスは、くわしい検討はのちの課題とするとして、ここではさしあたり「事実」に注目すると述べているから、すくなくとも事実の問題として、エンゲルスは、クラフト・ユニオンに労働組合一般の原基形態を見あてていたと理解しておこう。変形も展開もありうるという意味で、それは原基形態である。

▽労働組合の評価

以上のように労働組合をとらえたうえで、エンゲルスは、その評価をこころみる。結論を先取りしていえば、その評価は、一方でその限界性の、他方でその展望性の二面的把握に、特徴の最たるものがある。これは、のちにときおり、エンゲルスもマルクスも、「労働組合」の限界性指摘につよく傾斜する場合があったにせよ、大筋において、かれらが終生もちつづけた評価であった。

エンゲルスは「これらの組合の歴史は、労働者のながい一連の敗北の連続であって、ところどころ少数の勝利によって中断されている」と述べたあと、労働組合の限界を摘出する。すなわち、当然のことながら、組合のいっさいの努力も、賃金は労働市場における需要供給の関係によってきまるという経済法則を、かえることはできない。だから「これらの組合は、この関係に作用するいっさいの大きな原因にたいしては、どうすることもできない」。「労働市場を変化させるような比較的重要な原因にたいしては、組合は無力である」。

それは、のちの、たとえばマルクスの、労働組合は「もろもろの結果とたたかいはしているが、それらの結果の原因とたたかっているのではない」(『賃金・価格・利潤』一八六五年)という指摘、またエンゲルス自身の「出口のない悪循環」(一八八一年)等々という諸指摘につながる。

それにもかかわらず、「もっと小さな、ばらばらに作用する原因にたいしては、もちろん組合は強力である」し、さらに「これらの組合と、これらの組合からおこってくるストライキとにたいして独自の重要性をあたえるものは、それが、競争を廃止してしまおうとする労働者の最初の試みである、ということであ」り、「これら両者は、たとえそのねらいを、ほんの一面的な、ほんのかぎられたしかたでしか……現在の社会秩序の中枢にたいしてむけていないとしても、まさにそれだけの理由で、これら両者は、この社会秩序にとってはきわめて危険なのである」とエンゲルスは指摘する。ここでは、限界と展望が重ねあわされているが、ただし「労働者どうしの競争が妨げられ、すべての労働者が、もう二度とブルジョアジーには搾取されないと決心すれば、所有の王国はおわりをつげる」とつづけるとき、エンゲルスは、やや「競争論」(三〇一ページ参照)に傾いているというべきだろうか。

ところでエンゲルスは、労働組合の存在が、労働者階級と有産階級それぞれの相互間の憎悪をつよめていることにも注目する。一方では、これらの組合から、「異常に興奮したときには、自暴自棄に陥るほどはげしい憎悪と、あらゆる限界をつきやぶってしまう激情だけからしか説明できないような個々の行動」がうまれてくるとして、シェフィールドの労働者による工場爆破、グラスゴーの労働者によるストライキやぶり、狙撃等の例が示され、他方、有産階級のがわにおける、「工業のもつ独創的な頭脳と活気ある心臓とが、不穏な下肢によって奴隷にされている」という反組合キャンペーンの展開がえがきだされる。

それは、エンゲルスのいう社会戦争であるが、かれはしかし、その社会戦争のより基本的な形態を、暴動ではなく、労働組合によるストライキとしてとらえる。「これらのストライキは、もちろんはじめは小規模な前哨戦であり……なにも決定するわけではない。だがそれは、プロレタリアートとブルジョアジーとのあいだの決戦が近づいていることの、もっとも確実な証拠である。ストライキは、労働者の兵学校であり、ここで労働者は、もはや避けることのできない大闘争の準備をするのだ」とエンゲルスは考え、そこにイギリスの労働組合の展望を見あてたのである。エンゲルスは、その点を、社会悪にたいして政治的方法でたたかうフランス人と対比して、イギリス人は、「政府とたたかうかわりに、直接ブルジョアジーとたたかう」のであって、このたたかいは、ここ当分は「平和的な方法」によってしか効果をあげえないと補足する。労働組合およびストライキを、エンゲルスは、なによりも組織力だとみていたのである。

▽チャーティズム

エンゲルスは、チャーティズムの叙述にさきだって、ひとつの法律論を展開する。「ブルジョアにとっては、法律は神聖である。なぜなら、法律は、ブルジョア自身でこしらえたものであり、自分の承認によって、自分の保護と利益のために発布されたものだからである」。かれらは、法律によって「ひとたび確立された秩序の不可侵性は、自分たちの社会的地位のもっとも強力な支柱であることを知っている」。しかし「労働者にとっては、法律とは、自分たちのためにブルジョアがつくってくれた鞭であることを、労働者はあまりにもよく心得ており、またあまりにもしばしば経験してきた」。このブルジョアジーの法律をプロレタリアートの法律に変えることを要求したのが「人民憲章（People's Charter）」（八三ページ参照）だったと、エンゲルスは考えた。

ここに、チャーティズムにかんするエンゲルスの基本視点が凝縮されている。すなわち、エンゲルスは、なによりもまず第一に、チャーティズムを、ブルジョアジーにたいするプロレタリアートの反対の緊密な統合形態だとみる。その点が、労働組合とそのストライキによるブルジョアジーにたいする反対が、個々ばらばらのものであったのと、いちじるしく異なると考える。だから、チャーティズムの起源も、本質的には、一八世紀の八〇年代にまでさかのぼって、プロレタリアートの発生と同時であり、プロレタリアートのなかで発達した民主的な党派とともに、それは育ってきたと、エンゲルスはみるのである。これは、チャーティズムを、労働者階級に強烈にひきつけてとらえる古典的見解（今日、この古典的見解にたいして、あとでみる急進的ブルジョアジーの動きにひきつけてチャーティズムをとらえようとする見方も、でてきている）の原型でもある。

第二に、エンゲルスは、たしかに人民憲章の六項目の要求は、いずれも下院の構成にかぎられていて、現存の社会秩序にとって、一見きわめて無害のようにみえるけれども、それは、イギリスの政体を、女王および上院もろとも粉砕するだけの力を十分にもっているし、また人民憲章の形式は政治的であるけれども、同時に「社会的な性格」ももっていると考えた。エンゲルスは、この社会的な性格を「労働者のチャーティズムに特有」のものとみて、「チャーティズムとは、諸君が選挙権を獲得することなどにかんする政治的な問題ではけっしてない。そうではなしに、チャーティズムとは、ナイフとフォークの問題であり、憲章とは、よい住宅、よい飲食物、よい暮し、短い労働時間のことなのだ」という、一八三八年のマンチェスターの二〇万人（二五万人ともいわれる）の集会における僧侶スティーヴンズの、きわめて象徴的な演説を引用している。それは、新救貧法反対運動や一〇時間法案獲得運動とチャーティズムとの結合がすすんでいたことの反映でもあった。

しかし、第二の視点の行間にすでに示されていたように、エンゲルスは、チャーティズムのもう一面を見落とさなかった。すなわち、チャーティズムのブルジョア的側面である。

一八三六年のチャーティズムの発足から一八三九年の第一次請願にいたるまで、労働者の急進主義とブルジョアジーのそれとは提携しており、憲章は両者の合言葉であり、扇動の熱烈さではむしろ後者が先行しさえしたこと、また、一八三九年、マンチェスターの産業ブルジョアジーを中心に結成をみた反穀物法連盟が、直接的かつ全面的な労働者階級の支持を、ただちには得なかったにもかかわらず、一八四二年恐慌のなかで、一層急進化し、マンチェスターでは、穀物法の撤廃と人民憲章の制定を同時に要求する請願を、チャーティストを含めて採択し、さらに、一八三九年にも計画された「神聖月間」（ゼネラル・ストライキ）を労働者に扇動しさえしたことを、エンゲルスは指摘している。

たしかに穀物法の問題は、実力か道徳力かという問題とともに、チャーティズムの本質にかかわる問題であった。

ブルジョアジーは、結局、一八四二年から一八四三年にかけて、「普通選挙権」という名称を「完全選挙権」という「こっけいな名称」にかえたことにも示されるように、チャーティズムからそれて、穀物法問題を優先させていく。「この瞬間から、チャーティズムは一つの純粋な、あらゆるブルジョアジーの要素から解放された、といった性格をもつ労働者の事業となった」とエンゲルスはみる。

エンゲルスは、こうして社会的本質を獲得したチャーティズムは、たとえその諸内容に未熟な点があるにせよ、「社会主義」へ接近していかざるをえないし、「おそくても一八四七年までに」おこる「つぎの恐慌」が、労働者をうながして憲章を成就させるだろうとみた。

事実は、ブルジョアジーが一八四六年に穀物法撤廃をかちとったのにたいして、恐慌は「予言」どおりにおこったが、チャーティズムは、一八四八年に事実上崩壊したのである。エンゲルスが、イギリスにおける「社会主義の復活」の展望をあらためて指摘するのは、一八八五年のことであった。

▽イギリスの社会主義

エンゲルスがいう「社会主義の復活」は、「オーエン主義の死滅」に対応することばであったのだが、エンゲルスは、チャーティズムの叙述につづけて、イギリスの社会主義、とくにオーエンのそれを簡潔に分析している。

オーエンの実際的な提案は、「工業と農業をいとなみ、平等な権利と平等な教育を享受する二、〇〇〇人ないし三、〇〇〇人の住民からなる『国内入植地』において、財産の共有制度をしだいにとりいれること」であり、したがってかれは、理念的にはブルジョアジーとプロレタリアートの対立をのりこえてすすんでいるのに、現実にはブルジョアジーに寛大で、現存の諸関係がひどくわるくても、それを正当なものとして承認したまま、国民をいきなり、すぐさま「共産主義的な状態」におこうとすると、エンゲルスはみる。

そのいみで「社会主義者は、歴史的発展をすこしも認めない」、とエンゲルスは指摘する。すなわち、かれらは、過去とのあらゆる結びつきをたちきった、「抽象的な人間」の発達だけしか認めていないが、「全世界はこの過去のうえに立脚しているし、また個々の人間も、全世界とともにこれに立脚しているのだ」と、エンゲルスは、オーエンの『新社会観』（一八一三―四年）の「性格形成原理」を、するどく批判している。

しかし同時にエンゲルスは、それが、チャーティズムをとおりぬけるなかで、ブルジョアジーの要素を一掃して、真にプロレタリア的な社会主義となり、近い将来に、イギリス人民の発展史上で重要な役割を演ずるだろうと期待してもいたのである。

▽小　括

こうして、エンゲルスによれば、「チャーティストはもっともおくれており、もっとも未発達であるが、そのかわりに、ほんものの、生きているプロレタリアートであり、プロレタリアートの代表者である」。そして他方、「社会主義者は、もっと目さきがきいて、実際的な窮乏対策を提案するけれども、もともと生まれはブルジョアジーであるために、労働者階級と融合することができない」。しかし、このチャーティズムと社会主義との合同、すなわち、イギリス的方法によるフランス共産主義の再生産が実現されるとき、労働者階級は、イギリスの支配者となるであろうと、エンゲルスは考えた。

その展望ないしは願望にもかかわらず、現実のイギリス労働者階級は、なおしきりに「合同と分裂」をくりかえす諸分派――労働組合員、チャーティスト、社会主義者にわかれていたのも、エンゲルスが、まさにみたとおりであった。しかし、むしろ、それにもかかわらず展望をもちえたエンゲルスに、われわれは注目すべきであろう。

エンゲルスは、それら労働者の諸分派が、しかし、それぞれに、さまざまなプロレタリア的教育機関を自主的に運営し、「すばらしい成功」をおさめていることにつよく注目している。エンゲルスは、ぼろの上着をきた労働者が、ドイツの教養あるブルジョアジー以上の学識をもって「地質学や、天文学や、その他の論題について語るのを、私はなんども聞いたことがある」と書き、また新しい哲学や政治学や詩のうちの、画期的な作品が、ほとんど労働者だけによって読まれていると書いて、エルヴェシウス、ディドロ、プルードン、シェリーやバイロン、ベンサムとゴドウィンらの名前をあげている。文化の新しい担い手としてのプロレタリアートを、エンゲルスは、感激をこめてとらえていたのである。

最後にエンゲルスは、「もう一ついっておきたいこと」とことわって、「工場労働者、またそのなかでもことに木綿工業地区の工業労働者が、労働運動の中核を形成している」ことにふれなおす。「工場制度」がかれらを、労働組合、チャーティズム、社会主義の中核に育てあげたのであり、かれらは「労働者（Working Men）」――かれらが誇りとする名称――として、すべての有産階級に対抗して、独自の利害と原理、独自の見解をもつ独自の一階級を形成しており、かれらのなかにこそ、国民の力と発展能力とがやどっていると、エンゲルスはうたいあげている。

10　鉱山プロレタリアート

この節とつぎの節では、エンゲルス自身が第二および第三の「序列」をあたえた鉱山プロレタリアートおよび農業プロレタリアートの、それぞれの状態と運動が、補足的にあとづけられ

	男		女		合計
	20歳以上	20歳以下	20歳以上	20歳以下	
炭鉱	83,408	32,475	1,185	1,165	118,233
銅鉱山	9,866	3,428	913	1,200	15,407
鉛鉱山	9,427	1,932	40	20	11,419
鉄鉱山	7,773	2,679	424	73	10,949
錫鉱山	4,602	1,349	68	82	6,101
雑鉱山および鉱物名の示されていないもの	24,162	6,591	472	491	31,716
合計	139,238	48,454	3,102	3,031	193,825

* エンゲルスの注記によれば，これは，1841年の，イギリス全体（アイルランドを除く）の国勢調査によるものであるが，炭鉱と鉄鉱山は，たいてい同じ人たちによって採掘されているから，炭鉱労働者の一部と，最後の分類のなかの多くは，鉄鉱山の部類に書きかえる必要があるという。

ている。

イギリスの巨大な工業のために必要な原・材料や燃料のうち，イギリスが自給しているのは，羊毛を別とすれば，鉱物，金属および石炭であり，コーンウォルでは，銅，錫，亜鉛および鉛が，スタッフォードシャ，北部ウェールズおよびその他では鉄が，また北部および西部イングランド，中部スコットランド（そしてアイルランドの一部）では石炭が，それぞれ大量に産出されており，イギリス全体（アイルランドを除く）で雇用されている鉱山労働者数は別表のとおりである。

▽ 鉱山プロレタリアートの状態

エンゲルスは，コーンウォルその他の鉱山労働者の状態にふれたあと，中心的には，イギリス鉱業の最重要部門である鉄鉱山と炭鉱（ほぼ同様の生産方法がとられており，したがってほぼ同様の問題が生じている），とくに後者の状態を，児童雇用委員

石炭を運搬する少女

会の報告書をもとに、概観している。

まず児童労働であるが、ときには四歳から、大部分は八歳からの児童が、採掘された鉱石を、切羽から馬車道や本坑まで運搬したり、坑道の各所を仕切っている扉（爆発の波及とガスの移動をふせぐためのもの。写真参照）の開閉だけの仕事をしている。後者の場合は、たいていじめじめした坑道に、毎日一二時間以上も暗やみのなかで、たった一人でじっとすわっていなければならないし、運搬もまたつらい仕事で、鉱石を車のついていない箱に入れて、しめった粘土の上を、急傾斜の道を、あるいはまたせまい坑道を四つんばいになって、ひきずったり、おしたりしていかなければならない。この過酷な運搬労働には、女子労働者もたずさわる。それらの結果、児童にはいちじるしい発育の不良やからだの奇形化、婦人の場合も骨盤その他の奇形化が生ずる。すべての婦人および一〇歳以下の児童の坑内労働を禁止する法律が、一八四二年に可決されたが、たいていの地方で、それは空文にとどまった。

からだの奇形化は成年男子労働者の場合にも生じ、炭鉱夫は、そのからだつきで見分けることができるといわれている。炭鉱主によ

坑道の扉の番をする少年

っては、採算の関係から、炭層だけを採掘させるため、労働者は、よこむきに寝て石炭を掘らなければならないことがある。それは関節炎をひきおこすし、さらに、多くの炭鉱では、坑内の悪い空気によって、多数の肺の病気、ことに喘息がおこる。炭鉱特有の病気は、炭塵を肺にすいこむためにおこる黒唖病である。こうして多くの労働者が、四〇歳になると老年期にはいるといわれている。一方では幼年期がのび、他方では老化が早くおとずれ、かれらの平均寿命はほぼ一〇年はちぢめられて、四八歳前後という数字も示されている。

炭鉱はまた、おそろしい災害の多発する舞台であって、『マイニング・ジャーナル』紙によれば、ガスの爆発、落盤等の災害によって年々約一、四〇〇人もが命を奪われているといわれ、その多くが、炭鉱主の予防策の不備によるにもかかわらず、「慣習の守旧者」によって「不慮の事故による死」と評決される。

そのほかに、すでに述べたトラック・システムや小屋制度が、ここでは例外ではなくて原則であり、賃金は、容量で計算される場合には半端な量は計算から除外され、重さで計算される場合にはいんちきな天秤がつかわれて、ごまかされ、また北部イングランドでは、一年契約の雇用という風習がのこっていて、それは、雇用保障をもたらすものではなくて労働者の隷属化を強いるものでしかなかった。

▼労働運動の展開

以上のような「虐待」にたいする、炭鉱労働者の抵抗運動は、すでに一八世紀の中葉に「暴動による団体交渉」という形態で展開されており、団結禁止法撤廃後から一八三〇年代はじめにかけても、ストライキがおこなわれない年はなかったが、一八四一年には、ノーサンバランドおよびダラムを中心に、全国の炭鉱労働者が結集して大英国炭鉱労働者組合が結成され、そして一八四四年には、前述の両州で一大闘争が展開された。

それは、労働者の敗北におわるが、エンゲルスは、もっぱらこの闘争に注目して、そこにイギリスの未来の一端をみあてようとしている。

五ヵ月にわたるこの闘争は、①石炭の重量による賃金支払い、②正しい天秤による計量、③雇用契約期間を半年とし、一定量の仕事ないし賃金を保障すること、④罰金制度の廃止と、実際の出来高による賃金支払い等という、四万人もの労働者の要求が、炭鉱主によって拒否されたところからはじまる。それは、ある炭鉱主にトラック・システム廃止の告示をださせて、イギリスの全労働者階級の「歓喜のさけび」をよびおこしたり、ことわざどおりに「ニューキャスルに石炭をはこぶ」ことを余儀なくさせたりという成果をあげながらも、資金の不足、小屋制度を逆手にとった、住居からの一斉追出し、そして結局は、アイルランドとウェールズからのスト破りの導入によって、おわりをつげる。

それにもかかわらずエンゲルスは、炭鉱主や軍隊や警官のあらゆる敵対行為や挑発をのりこえて、四万人もの大衆が「あたかも一人の人間のように」行動したこと、「おもわず驚嘆させずにはおかない忍耐と、勇気と、英知と、熟慮」が示されたこと、そして、それなしには闘争がずっと早期に敗北したであろう「遵法行為」は、労働者の「知性と自制心のいちばんよい証明」だったことを、最大の感動をこめて語っている。エンゲルスが、この節の最後で、有産階級に、この反抗の真意を読みとる眼識がなければ、イギリスでは、社会問題の平和的解決はあきらめるしかなく、残される唯一の可能な方策は暴力革命しかないと述べているのは、エンゲルスの、その感動の逆説的表現とみることができる。

これらの炭鉱労働者は、そのご、チャーティスト運動にも参加していくが、一八五〇年代以降は、しかし、その他の地方の炭鉱労働者とは異なって、一種の排他性を強めていくことになる。

11 農業プロレタリアート

すでに序説でもみたように、農・工労働の結合が解体され、大農経営が優勢になっていくにつれて、小農民は破滅し、また家父長制的関係も解体されて、それまで潜在的であった過剰人口が農村にあふれることになった。一八一五年に制定された穀物法も、「農業の窮乏」という病気の急性化を一時おしとどめただけで、それを慢性化したにすぎなかった。農業地方は、工場地方が「変動する貧窮の中心地」であったのにたいして、「永久的な貧窮の中心地」となったのである。かててくわえて、機械・蒸気力そして婦人・児童労働が導入されて、工業生産の制度が、ここにも、つまり「働く人間の最後の、もっとも安定的な部分」にまで、普及してきている。エンゲルスは、「囲い込み」ということばを明示的には用いていないが、農村の全般的状況を以上のようにみている。

▽**農業プロレタリアートの状態**

家父長制的関係が存続しているあいだは、どの農場でも、必要以上の労働者をかかえており、解雇は例外だったから、労働者の窮乏は比較的かるかったが、日雇労働者が例外でなくて原則になると、かれらは、借地農の必要に応じて雇われるだけなので、しばしば何週間も、ことに冬になると、まったく仕事のないことがある。こうして生じた過剰人口は、旧救貧法のもとでは、地方教区の財政を圧迫することとなり、一八三四年には、労働能力者を救済対象としない、「無慈悲な」新救貧法が成立して、「人民をひどく憤激させる」。

仕事にありついた日雇労働者でも、その週賃金は六～八シリングがせいぜいで、一八四四年の『タイムズ』紙の報道も、一八三〇年の、日雇労働者についてのある叙述――「彼は、子供のときから粗食をとり、いつも腹半分しかありつかなかった。そして、いまでもまだ、眠っていないときにはたいていいつも、満たされない空腹の苦痛を感じている。彼は着物もろくに着ていない」し、住んでいるバラックは「雨風をふせぐには垣根よりもまだいくらかまし」というものでしかない――と完全に一致していると、エンゲルスはいう。

もうひとつエンゲルスが注目しているのは、農業プロレタリアートにたいしていちじるしく残虐な狩猟法の問題である。それによって、貴族は「狩猟という高尚な娯楽」にひたり、密猟した農民は監獄におくられ、再犯の場合には、最低七年の流刑に処せられるのである。問題を、すぐれて対照的にとらえるエンゲルスの目が、ここにもある。

▼反　抗

農村の状態、つまり、「ばらばらに孤立した住宅や、環境と仕事の、したがってまた思想の固定性が、あらゆる発展にたいして決定的に不利である」にもかかわらず、窮乏は農民をたちあがらせる。しかし、その形態は、工業労働者や鉱山労働者がじきにのりこえた、犯罪という反抗の第一段階にとどまっていると、エンゲルスは述べているが、最近の研究によれば、そこにも、すでにふれた「暴動による団体交渉」的側面があったのである。

その典型は、一八三〇年から三一年にかけての冬にはじめて一般化した放火である。借地農や地主たちのあいだには恐怖がひろがったが、犯人が発見されるのはごくまれであった。そこで人々は、それを一人の神秘的な人物のしわざにして、それをスウィング（Swing）とよんだ。

それ以来、それは、冬がくるたびにくりかえされ、一八四三年から四四年にかけての冬については、エンゲルスは『ノーザン・スター』紙の、その報道ぶりの一端（それでも数十件にもおよぶ）を書きとめている。

エンゲルスは、しかし、地主とともに、だが工場主とは逆に、穀物法の存続を主張している大多数の借地農が、穀物法撤廃（エンゲルスはすでにそれを予想していた）の結果、地主から解放

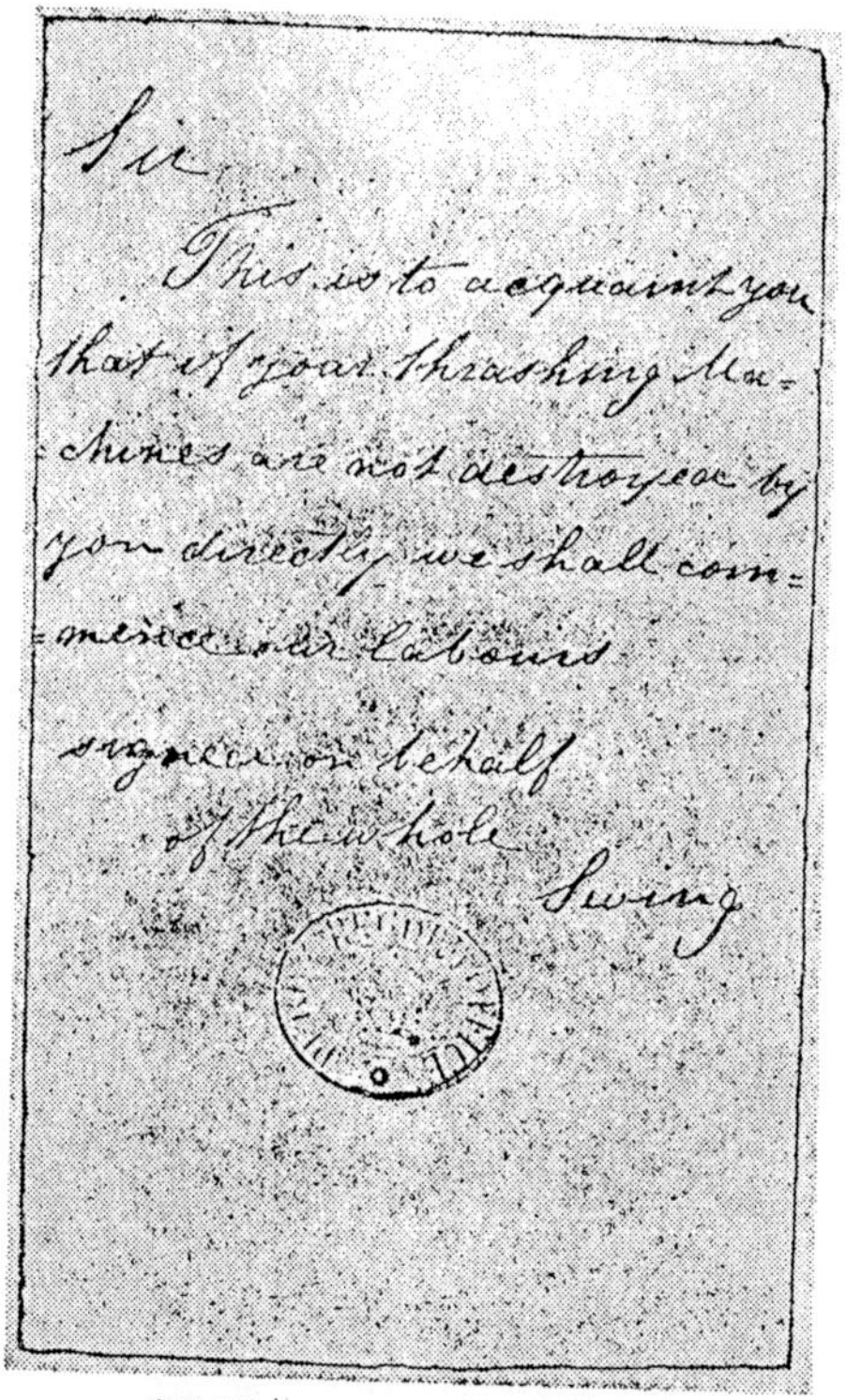

Sir

This is to acquaint you that if your thrashing Machines are not destroyed by you directly we shall commence our labours

signed on behalf of the whole

Swing

貴殿が自らの手によって脱穀機をただちに破壊しなければ，我々は我々の任務を開始するだろう。以上，通告する。

すべての人々を代表して

スウィング

スウィングの脅迫状

されて、「自由主義的な、すなわち自覚したブルジョアになるならば、日雇労働者は、必然的にチャーティストと社会主義者に、すなわち自覚したプロレタリアになるであろう」という展望を示し、工場労働者と同様に、穀物法に冷淡な農業労働者に、その基礎を見いだしている。

エンゲルスは、このあと、イングランドとは異なった特色を示すウェールズとアイルランドについて論及している。

ウェールズの農民の状態は、都市で進行している小ブルジョアの破滅に照応していると、エンゲルスはみる。つまりここでは、たいていが小借地農で、かれらは、相互の、またイングランドの大借地農との競争と、利益の少ない牧畜しかゆるさない自然的条件とによって、ひどく零落している。かれらは、この状態の真の原因を見ぬけないままに、たとえば高い通行税を原因とみて、一八四三年二月には、レベッカ一揆を爆発させた。かれらは「レベッカ」という偽名で脅迫状を書き、女装して顔を黒くぬった群衆が通行税取立門などをおそったのである。のちに軍隊や警官隊が増強されると、それは個人的な放火や殺人の企てに発展した。「いつもの例にもれず、こうした比較的重大な犯罪は運動の終結であった」。

極度に細分化された土地にむらがる多数の小借地農と、大ブリテン島よりも数の多い農業日雇労働者がいるアイルランドの貧困は、さらにいちじるしく、それはイングランドへの出稼ぎの基盤になっている。

貧困の原因を、ここでもエンゲルスは「現存の社会関係、すなわち競争」とみており、たとえばイングランドによるアイルランド支配も、貧困一般の原因ではないとしている。ただ、貧困のあらわれ方の一因を、アイルランドの激情的な民族的性格にもとめると同時に、他方その激情性が、かれらのイングランド移住によって、「将来その実を結ぶとおもわれる酵母」となってイングランド人民に伝えられているとも評価している。

アイルランド民族が、この零落からのがれるために試みているのは、一方では犯罪であり、他方では合併撤回運動であるが、エンゲルスは、合併撤回が貧困を廃止しはしないと指摘している。アイルランドを軸点とするプロレタリア革命という立体的認識をマルクスが示すのは、一八六九年のことである。

以上のようにして、「プロレタリアートとともに不満が発生し、成長し、完成し、組織される」と、エンゲルスはみたのである。

12　プロレタリアートにたいするブルジョアジーの態度

最後にエンゲルスは、ブルジョアジーの、とりわけ「党派」としてのそれの諸行状を総括する。ただしエンゲルスは、ここでは、いわゆる貴族をふくめてブルジョアジーととらえている。それは、「プロレタリアは、この両者を有産者、すなわちブルジョアとしかみなさない」からであって、三階級のからみあい（七九ページ参照）を、エンゲルスが無視したことを意味するのではない。

エンゲルスはまず、イギリスのブルジョア像を、カーライルの『過去と現在』（一八四三年）においてえがかれているそれと、みずからの実感とをもとにして、彫りきざんでゆく。

イギリスのブルジョアは、たしかに、家庭ではりっぱな夫であり、個人的美徳ももち、尊敬するにたりるように見えるが、かれらにとっては、「この世の中には、金銭のためにしか存在しないもの以外は、なに一つ実在しない」のである。いっさいの生活関係のものさしがそこにある。だから、工場主の労働者にたいする関係は、人間的な関係などではなくて、純粋に経済的な関係である。工場主は「資本」であり、労働者は「労働」もしくは「人手」なのである。すべてが「国民経済学」のことばで語られるのである。そしてそこから、自由競争の原理が、あらゆる点にひろがっていくことにもなる。搾取の自由をふくむこの自由競争は、無国家状態において完全なものとなるはずであるが、ただブルジョアジーは、自分にとって自由競争と同様に必要なプロレタリアートを抑制するために国家を必要とするから、かれらは国家をプロレタリアートへさしむけて、自分からは遠ざけておこうとする。

だがかれらは、かれらの「利己心」を公然とは見せびらかさない。「慈善」もするのである。しかし、そのために「まずプロレタリアの膏血《こうけつ》をしぼりとる」という前提があるのであるが、そのことを別としても、慈善もまた打算によっておこなわれる。慈善によってブルジョアジーは、これ以上貧乏人によってわずらわされない権利を買いとろうとするのである。博愛ぶるときもそうである。たとえば、かれらは、穀物法の撤廃は、プロレタリアの利益のためであるといいくるめつづけて、みずからの利己心をかくそうとしてきた。

そのようなブルジョアジーが、「党派」として、「国家権力」として、プロレタリアートに対立してきた典型、「もっともあからさまな宣戦布告」の例として、エンゲルスは、あらためてマルサスの人口理論と、それから生まれた新救貧法にふれなおす。

マルサスの人口理論（『人口論』初版一七九八年）において「問題となるのは、過剰な人口をどうしてやしなうか、ということではなく、どうしてそれをあれやこれやの方法で、可能なかぎり制限するか、ということなのである」。したがって、実践上では、救貧基金は無意味だという結論になる。

一八三二年の選挙法改正によって力を得たブルジョアジーは、さっそく一八三三年に、議会に委員会をもうけて、救貧法の改正に着手した。一六〇一年以来の旧救貧法は、「まだ素朴にも、貧乏人の生計について配慮するのは教区の義務である、という原則から出発していた」が、マルサス主義者の委員たちは、旧救貧法を、「工業の妨害物」、「人口の増加にたいする刺激」、「怠け者……を保護するための国家制度」、「資本の蓄積を組織的に妨げ、現存する資本を解体させ、納税者を破産させる」ものと断罪し、一八三四年、新救貧法が成立した。それによって、現金または生活手段による救済はすべて廃止され、貧民労役所（workhouse）にはいらないかぎり救済を受けることができなくなったが、その貧民労役所は、文字通り「救貧法バスティーユ〔牢獄〕」であって、そこの居住者は、ほんものの監獄にはいりたいばかりに、しばしば「故意になにかの犯行をおかす」ほどであった。

エンゲルスは、その牢獄ぶりを（明示してないが、主として『ノーザン・スター』紙から）十数例とりだしている。たとえば、そこでは「もしかして個人事業と競争することのないよう」、石を割るだけなどの「むだな仕事」があたえられる。拒否した労働者は踏車の強制労働をいいわたされる。あるいは、病人が、看護人の手をはぶくためにベッドに縛りつけられ、そのまま死んでいるのを見つけられた例、ひとつのベッドに四人から八人もの子供が眠らされている例、「死んでからも同じことで」、被救恤民の最後の休息所である貧民墓地が乱暴にきりさかれて鉄道が敷設された例などである。

貧民が、これらのバスティーユにはいるよりも餓死するほうを好む理由がそこにある。こうして新救貧法は、「無産者は、ただ有産者から搾取されるためにしか存在せず、また有産者が自分たちを利用することができなくなったら、ただ餓死するためにしか存在するにすぎない」ということを、あからさまに主張し、実践したのである。だが、そのために新救貧法はまた、労働運動、ことにチャーティズムの普及に重大な貢献もしたのである。

エンゲルスは、以上では、「一つの階級としてのブルジョアジー」について語ってきたのであって、その成員のなかには、尊敬に値する例外（たとえば一時期までのカーライル）もいるところとわったのちに、イギリス・ブルジョアジーの運命を予測する。それは、同時に、本書の結語にもなっている。

第一には、慧眼というしかないが、「無尽蔵の資源」、「豊かな水力と航行に適した河川」、そして「活動的な住民」をもつアメリカ工業に、エンゲルスはいちはやく注目し、イギリスの工業上の独占権を奪取する能力があるのはアメリカであり、現状からすれば「今後二〇年以内には」イギリスの工業はうちやぶられるほかはなく、そうなればプロレタリアートの大多数は、永久に「過剰」となって、餓死するか、革命をおこすしかないという予測をたてる。しかし、イギリスのブルジョアジーは、「お気にいりの経済学者マカロック」とともに、アメリカ工業を一笑に付していたのである。

第二に、イギリスが工業上の独占を保持しえた場合でさえも、工業の拡張とプロレタリアートの増大につれて、「恐慌はいよいよ暴力的に、ますます恐ろしいもの」になり、やがて、プロレタリアートが、少数の百万長者を例外とする全国民を構成し、現存の社会権力を打倒することがいかに容易かをさとる段階がくるという予測を、エンゲルスは示す。

第一の予測には、現実的視点が、第二の予測には理念的視点が、それぞれ強く反映しているが、エンゲルスは、そのふたつをつなげて、第三の予測をうちだす。すなわち、恐慌と、外国との競争が相乗しあって、「もっと簡単に事態のけりをつけるであろう」と述べる。具体的には、

「一八四六年か一八四七年にかけておこるつぎの恐慌」が、おそらく穀物法撤廃と人民憲章を実現させ、この憲章実現がよびおこす革命運動は「期待するだけの価値」があり、これまでの恐慌から類推して、一八五二年か一八五三年にはおこるにちがいない「そのつぎの恐慌」までには、以前とは比較にならない、憤怒をこめた革命につながる事態にたちいたるであろうと指摘する。

そうした事態の進展のなかで、たとえブルジョアジーが「改心」するとしても、「せいぜい無力な中道」にたどりつくにすぎないのであって、「一階級全体がいだいている偏見は、古い上着のように脱ぎすてられるものではない」し、とりわけ「頑固で、偏狭で、利己的なイギリスのブルジョアジー」の場合はなおさらであると、エンゲルスはつけくわえている。

エンゲルスは、「イギリスでは、万事が社会のなかで、非常に明白かつ先鋭に発展しているから」、「イギリスほど予言の容易なところはどこにもない」と明言しているが、エンゲルスの第三の予測は、もちろん性急な一面をふくんでいたとはいえ、事実、恐慌は一八四七年におこり、穀物法はその前年に撤廃され、人民憲章は実現しなかったが、一八四八年には、一方で『共産党宣言』が発せられ、他方、ヨーロッパが革命状態におちいったのであるから、すくなくとも事態の半面をてらしだしていたといえるであろう。

予測自体の当否は別としても、エンゲルスにとっては、「革命はやってくるにちがいない」ものであった。エンゲルスは、最後に、その革命の諸形態について、エンゲルス独特の議論を展開している。

議論の中心は、革命が、以上で予言したよりも、「もっと穏やかなかたち」をとることがありうるという点におかれているのであるが、エンゲルスによれば、それは、ブルジョアジーの発達よりも、むしろプロレタリアートの発達にかかっている。すなわち「プロレタリアートが社会主義的および共産主義的な要素をとりいれるのに比例して、それに正比例して、革命は流血と、復讐と、憤怒とを減じるであろう」とエンゲルスはいうのである。共産主義は、原理上、ブルジョアジーとプロレタリアートの不和を超越しており、まさにこの不和を揚棄しようとしている。だから共産主義は、この不和が存在するかぎり、プロレタリアートが抑圧者にたいしていだく憤激を、必然的なものとして、「初期の労働運動のもっとも重要な槓杆」として、「承認」しはするが、しかし、共産主義はこの憤激をのりこえてすすむ。なぜならば「共産主義はまさしく人類の問題であって、たんに労働者だけの問題ではないからである」。

だからエンゲルスは、イギリスの労働者が、社会主義（すなわち共産主義）の思想をうけいれればうけいれるほど、それだけかれらの現在の憤激は、ますます無用のものとなるといい、逆にそれが現在のような暴力的なものにとどまるなら、結局なにももたらさないであろうとつけくわえる。そして「もしも戦闘が勃発するまえに、全プロレタリアートを共産主義者にすることがとにかく可能であるとすれば、その戦闘はきわめて平和的にすぎ去るであろう」とまでいう。エンゲルスはそれにすぐつづけて、「だが、それはもう不可能である。それにはすでにおそすぎる」とつけくわえながらも、なおみずから「信じている」こととして、すくなくとも社会問題にかんする理解がプロレタリアートのあいだにひろまるにつれて、共産主義的な党は、「革命の残虐な要素を克服」すると同時に、逆からの残虐な反革命も防止することができるであろうと述べている。

エンゲルスは、かれの死の年、一八九五年に、つまり本書『状態』の刊行からちょうど半世紀の年月を経て、平和的革命の可能性を、一面化をさけながらも示唆する（「カール・マルクス『フランスにおける階級闘争、一八四八年から一八五〇年まで』（一八九五年版）への序文」）のであるが、本書において、エンゲルスが、一度ならず、「平和的な解決」の可能性論とその時機逸失論とのあいだで振り子をふりつづけているのは、特徴的であるといっていいであろう。

エンゲルスは、最後にもう一度振り子をふって、いう。「平和的な解決はすでに時機を逸している。諸階級はいよいよ鋭く分裂し、反抗の精神はますます労働者に浸透し、憤激はたかまり、個々のゲリラ的な小ぜりあいは集中して、もっと重大な戦闘とデモンストレーションになる。そして、やがて雪崩を動かすためには小さな衝撃で十分となるであろう」。これが、「著者自身の観察および確実な文献による」という付記をもち、イギリスの労働者階級にささげられた本書の結語である。

（はじめに 1～6 浜林正夫）
（7～12 鈴木幹久）

第4章

『労働者階級の状態』——その後

TO THE WORKING CLASSES

OF

GREAT-BRITAIN.

Working Men!

To you I dedicate a work, in which I have tried to lay before my German Countrymen a faithful picture of your condition, of your sufferings and struggles, of your hopes and prospects. I have lived long enough amidst you to know something about your circumstances; I have devoted to their knowledge my most serious attention, I have studied the various official and non-official documents as far as I was able to get hold of them — I have not been satisfied with this, I wanted more than a mere *abstract* knowledge of my subject, I wanted to see you in your own homes, to observe you in your every-day life, to chat with you on your condition and grievances, to witness your struggles against the social and political power of your oppressors. I have done so: I forsook the company and the dinner-parties, the port-wine and champaign of the middle-classes, and devoted my leisure-hours almost exclusively to the intercourse with plain Working Men; I am both glad and proud of having done so. Glad, because thus I was induced to spend many a happy hour in obtaining a knowledge of the realities of life — many an hour,

『イギリスにおける労働者階級の状態』の初版本でのエンゲルスの献辞「イギリス労働者階級に寄せる」

1　『労働者階級の状態』とマルクス

エンゲルスの『イギリスにおける労働者階級の状態』は、どのように読まれ、どのようないみをもったか。まず第一に、マルクスとエンゲルスの思想形成上、それはどのようないみをもったかということが問題になる。若いマルクスが、かれの思想を形成するうえで、エンゲルスのマンチェスターでの経験とイギリス・プロレタリアートについての具体的な知識が、つよい刺激になったことは明らかである。ブリュッセルでエンゲルスがマルクスと協同の生活をはじめてまもなく、そしてまたこの『イギリスにおける労働者階級の状態』が出版された直後に、エンゲルスは、マルクスをつれてイギリス旅行にでかけた。ロンドンとマンチェスターを旅したかれらは、マンチェスターの図書館でイギリス古典経済学の研究をし、チャーティストたちに会った。これは一八四五年七月から八月にかけてのことである。

一八四九年、ヨーロッパ革命の夢に破れて、マルクスとエンゲルスは相ついでロンドンに亡命してきた。「革命はやってくるにちがいない」と『状態』でエンゲルスが期待したイギリスにおいても、革命のにない手となるはずのチャーティストたちは、歴史という舞台の背景にしりぞきはじめていた。その後、エンゲルスは生活の資をえるためにマンチェスターのエルメン・エンゲルス商会でふたたび働きはじめ、マルクスはロンドンで『資本論』のための研究をはじめた。革命の情熱を失ったイギリスの労働者に絶望しながら、革命への情熱をもやしつづけていたマルクスとエンゲルスは、一八六三年四月八日と九日に、『状態』をめぐって、次のような内容の手紙のやりとりをした。エンゲルスは、いまは、この『状態』の新版を出版するときではないとマルクスに書き、「今はいっさいの革命的なエネルギーがイギリスのプロレタリアートからほとんど完全に蒸発している」からだと説明した（『全集』三〇巻、二七一ページ）。これにたいしてマルクスは、「どんなに早くイギリスの労働者たちが彼らの外観上のブルジョア感染から解放されるかは、まだ待ってみなければならない」とこたえ、エンゲルスの『状態』について、「君の本を読み返してみて、僕はしみじみと老年を感じさせられた。今なおこの本のなかでは、なんと新鮮に、熱情的に、大胆に先取りして……事物が捉えられていることだろう！　そして、あすかあさってにはその成果が歴史的にも一躍現われ出るだろう、という幻想さえもが、全体に暖かさや陽気なユーモアを与えているのだ」（『全集』三〇巻、二七四―五ページ）と評した。マルクスは、『状態』にこめられているエンゲルスの革命的情熱や若さをうらやみ、その見通しの正しさを賞賛した。

『資本論』第一巻の執筆をすすめていたマルクスは、エンゲルスの『状態』にこめられていた資本主義生産についての歴史的見通しを基本的にうけ入れていた。『資本論』第一巻の「労働日」のところで、マルクスは、エンゲルスのこの『状態』が、「資本主義的生産様式の精神をいかに深く把握した」ものであるかと注記した。さきにあげたマルクスの手紙とあわせてみると、エンゲルスが『状態』で明らかにした資本主義生産の本質とその歴史的見通しは、『資本論』第一巻にそのままひきつがれていることがわかる。しかし、マルクスは、競争にもとづく過剰生産―恐慌―失業―労働者の窮乏化という『状態』でのエンゲルスのシェーマをねりなおし、資本主義的蓄積の一般法則という形でとらえなおした。「商品と貨幣」にはじまり「資本の蓄積過程」でおわる『資本論』第一巻の全体系が、そのマルクスの答えであった。相対的剰余価値の生産の追求――資本の有機的構成の高度化と相対的過剰人口の増大という形での失業＝窮乏化の説明は、エンゲルスの『状態』でのそれとちがって、資本主義生産のもつ構造的矛盾にふれるものであった。一八九二年、エンゲルスはあらたにだされた『状態』ドイツ語版序文で、「本書の一般的な理論的立場が――哲学的・経済学的・政治的な点で――私の今日の立場とはけっしてぴったりとは一致しない」とのべ、「マルクスの『資本論』第一巻が、一八六五年ごろの時代、つまりイギリスの工業的繁栄がその絶頂に達した時代の、イギリスの労働者階級の状態をくわしく叙述している」(『全集』二巻、六六九ページ)と書いたのは、このことをエンゲルスはみとめていたからである。「よいにつけわるいにつけ、この著作は、著者の若さのしるしをとどめている」(『全集』二巻、六六四ページ)と、七二歳のエンゲルスは二四歳のころの自分を評した。この「若さのしるし」は、社会革命への性急な期待であったが、これは、資本主義的蓄積の一般法則という形で資本主義生産の構造的把握が獲得されるとともに捨てられていったといえる。しかしそれにもかかわらずエンゲルスは、「私は若いころの労作をもう一度通読してみて、これをすこしもはずかしがる必要はないことを知った」と自負している。『状態』にあらわされた資本主義の歴史的見通しについては、まちがっていないとエンゲルスはみたのである。一八八〇年代後半から九〇年代にかけて、アメリカ、イギリス、ドイツでこの『状態』がふたたび出版されるのをかれがみとめたのは、この自負と、かれの社会革命への歴史的見通しがふたたび実現する可能性がでてきたとみたからであった。

2　ドイツとイギリスにおける『労働者階級の状態』

つぎに、エンゲルスのこの『イギリスにおける労働者階級の状態』が、一八四五年ライプツィヒで出版された当時、ドイツでそれがどのようにうけとられたかということが問題になる。

一八四二年、エンゲルスがマンチェスターにでかけてドイツを留守にしているあいだに、ドイツでは、産業革命は急速にすすみ、資本主義化の矛盾が、さまざまな形であらわれはじめていた。エンゲルスが、一年半にわたるマンチェスター滞在をおえてバルメンに帰ってくる直前の一八四四年六月には、シュレージエンで織布工が暴動をおこした。困窮した労働者や被救済貧民の問題が深刻な社会問題になりはじめていた。イギリスの産業革命と悲惨な労働者の状態を具体的な資料にもとづいて明らかにしたエンゲルスの『状態』は、社会問題に頭を悩ましはじめていた当時のドイツの支配階級にとって、絶好の警告の書となったのである。

多くの書評が新聞や雑誌にあらわれた。* プロイセンやその他のドイツの小公国の内務官僚や外務官僚たちが、このエンゲルスの『状態』について報告書をかいた。資本と労働の深刻な対立は、対岸の火事ではないと、当時のドイツの支配階級は、危機意識をもった。そしてまた、それは、資本の無慈悲な搾取にたいする労働の保護者として、専制君主の存在を合理化する主張のよりどころともなったし、ドイツ・ブルジョアジーの自由主義的な政治要求を、専制君主が抑える理由の一つともされた。

* ドイツにおけるエンゲルスの『状態』の受容については、W. Mönke, *Das literarische Echo in Deutschland auf Friedrich Engels's Werk "Die Lage der arbeitenden Klasse in England"*, Deutsche Akademie der Wissenschaften zu Berlin, 1965 を参照。

たしかにエンゲルスは、イギリスのプロレタリアートの悲惨な状態と階級闘争を描きだし、社会革命がせまっていると書くことで、イギリスやドイツの支配階級に警告を与えようと意図した。この『状態』に「イギリスの労働者階級に寄せる」と題する「献辞」を英語でかいたのは、この部分の抜刷りをイギリスの支配階級におくりつけるつもりであったからである。このいみでは、ドイツでの『状態』の反応は、エンゲルスが予期した以上のものであった。しかしこれが、かれが死ぬほど憎いといったプロイセンの専制政治体制を補強する議論に用いられたのは、かれの意図に反するものであった。

この『イギリスにおける労働者階級の状態』は、当のイギリスではどのようにうけとられたか。ドイツとちがって、当時のイギリスの支配階級は、エンゲルスに指摘されるまでもなく悲惨な労働者階級の状態をまのあたりにみることができたし、たとえばP・ギャスケルの『イングランドの製造業人口』(一八三三年、のち一八三六年に改訂されて『職人と機械』と題された)のような著作や報告書でよむことができた。ドイツでのようないみでの『状態』への反応は、イギリスではみられなかった。そしてまた、エンゲルスが社会革命のにない手と期待したチャーティストたちも、エンゲルスが『状態』にこめた政治的メッセージに反応することはなかった。ドイツ語で書かれ、ドイツで出版されたこの書は英訳されないかぎり、イギリスの労働者の手のとどくものではなかった。

『状態』のイギリスへの影響は、すなわちその英訳がおこなわれたのは、『状態』が出版されてから四十数年のちのことであった。アメリカの社会主義者、フロレンス・ケリ＝ウィシェネウェツキーがこれを英訳し、エンゲルスが監修し、序文とあとがきをあたらしくつけ加えた。一八八七年、それはアメリカのニューヨークから出版された。一八九二年、この英訳は、あらたに書かれたエンゲルスの序文を付してロンドンで出版され、同じ年に、ドイツ語版も別のあらたな序文をつけて、ライプツィヒで出版された。

一八八〇年代から九〇年代にかけての時代は、イギリスでは、「ヴィクトリアの繁栄」すなわち世界の工場としてのイギリス資本主義にくらい影がさしはじめたときであった。イギリスの農業危機は、なによりもアイルランド農民を危機状況においやり、一八八〇年代は、政治的にはこのアイルランド問題で明けた。イギリス産業の構造的不況は失業者問題を慈善の対象から政治の対象にし、労働運動はふたたび活動力をとりもどし、かつてのチャーティストの子孫が戦線に復帰してきた。「社会主義の復活」とよばれる時代がはじまったのである。『状態』の英訳版は、こうしたときに出版されたのである。

エンゲルスは、一八八四年一二月、W・モリスやエドワード・エイヴリング夫妻らによる「社会主義者同盟」というマルクス主義政治団体の創立に力をかし、一八八五年三月には、その機関雑誌『コモンウィール』に「一八四五年と一八八五年のイギリス」と題する論文を寄稿した。この論文は、一八八七年アメリカ版『状態』のあとがきにくみ入れられ、一八九二年のイギリス版とドイツ版では前がきの一部に入れられた。ここでかれは、一八四五年いごのイギリス資本主義の発展と労働者階級の状態を説明し、「世界の工場」としてのイギリス資本主義の独占的地位のゆえにえられた膨大な利益の一部の分けまえにあずかった「労働貴族」の存在を指摘した。かれらの手にある体制内存在化したトレード・ユニオニズムは、「ヴィクトリアの繁栄」の時代の労働運動を性格づけるものとなっていた。さきに引用した一八六三年のマルクス宛のエンゲルスの手紙にみられるように、イギリスのプロレタリアートが革命の情熱を失ったのは、一部労働者の「労働貴族」化によるものとみなされたのである。

しかしこうした「労働貴族」のしたに、多数の労働者の「貧困と絶望」は、この繁栄の間中にも存在しつづけたし、それにくわえて、一八八五年のいま、イギリス産業の世界市場独占はくずれはじめた。独占的利益の分けまえにあずかっていた一部労働者の特権は失われはじめた。エンゲルスは、一八八五年のイギリスの状況をこのように認識したのである。「独占の崩壊につれて、イギリスの労働者階級はこの特権的地位を失うであろう。将来いつの日にか、彼らはおしなべて——特権的・指導的少数者をもふくめて——外国の労働者と同じ水準にひきおろされていることに気づくであろう。そしてこれこそ、イギリスにふたたび社会主義が存在するようになる理由なのである」(『全集』二巻、六七七ページ)。エンゲルスは、イギリスにおける「社会主義の復活」をこのように予測したのである。かつて、一八六〇年代のエンゲルスは、この『状態』を英訳出版する時期ではないとみていた。一八八〇年代になってエンゲルスがこの『状態』の英訳・出版に同意したのは、イギリスにふたたび一八四五年の時代が復活しつつあるとみなしたからであった。

イギリス資本主義の世界市場独占の崩壊にともなう失業の増大と貧困の蓄積、他方で、ハインドマンの主宰する「社会民主連盟」やモリスらの「社会主義者同盟」といった社会主義団体をはじめとするさまざまな流れの社会主義運動のなかで、イギリスの労働者は「反乱」をおこした。この「反乱」は、かつてエンゲルスが『状態』で期待したような社会革命をうみだす力にはならなかったが、これまでの伝統的なトレード・ユニオニズムに内部変革をせまり、政治的には、労働者階級に大「自由党」のしっぽとしての「自由＝労働」主義をすてて、独立労働党を結成させる力となった。これまで労働者のなかの「くず」だとみなされてきた不熟練臨時労働者であったロンドンのガス労働者と港湾労働者が、一八八九年夏、たちあがり、「一般組合」を結成したのである。これは伝統的なトレード・ユニオニズムにたいする不熟練労働者の「反乱」であった。それは新ユニオニズムとして、旧来のトレード・ユニオニズムのかたい殻をうちやぶる力となったのである。

エンゲルスは、この港湾労働者のストライキに感激し、「八時間労働日」をかかげて、一八九〇年五月四日ロンドンではじめてひらかれたメーデーをみて、かつての若いころマンチェスターでもった革命への情熱を思いだした。「四〇年間の冬眠からめざめたイギリスのプロレタリアートが、ふたたび自分たちの階級の運動に参加したということを、メーデーの祝典全体のなかで、最も重要な、最も偉大な部分だと私は考えている」（『全集』二二巻、五八ページ）とこのロンドンのメーデーを重視し、「昔のチャーティストの子孫たちが戦線に登場している」（前掲、六三ページ）と「ロンドンの五月四日」と題する論文で、かれはかつての感慨をよみがえらせたのである。

一八八七年には、S・ムーアの訳した『資本論』第一巻の英訳が出版され、一八八八年には同じムーアの訳による『共産党宣言』が、一八九二年には、E・エイヴリング訳の『空想から科学への社会主義の発展』が、ロンドンで出版された。エンゲルスは、このいずれの英訳をも監修し、それに序文を書いた。『状態』をふくめたマルクスやエンゲルスの著作のこうした一連の英訳は、かれらのイギリスでの長い亡命生活にもかかわらず無視されつづけてきたかれらの思想が、このときはじめてイギリスの労働者階級にうけ入れられはじめたことをいみする。

3 イギリス産業革命期の労働者の状態をめぐる論争

前節でのべられているように、エンゲルスの『状態』が英訳されたのは一八八五年のことであったから、イギリス人にとってはこの書物はそれまでなじみのうすいものであったけれども、しかし産業革命期の労働者の状態についての論争は、この書物に先だってはじまり、この書物とは無関係に進行し、そして現在にまでおよんでいる。本節では、イギリスにおけるこの論争——それはふつう生活水準論争とよばれている——のアウトラインを紹介し、この論争のなかでエンゲルスのこの書物がどのようにあつかわれてきたかをみることにしたい。

▽**労働者状態の研究——社会調査と経済史学**

すでにのべたように（第1章参照）エンゲルスがこの書物を書くにあたって参照したギャスケル、ケイ・シャトルワース、カーライルらは、いずれも産業革命期の労働者の状態の悲惨さを、それぞれの立場からえがきだしたのであった。しかしこの当時の人びとがすべてギャスケルらと同じような主張をかかげていたわけではない。エンゲルスもふれているけれども、たとえばアンドリュー・ユーア『製造業の哲学、あるいは大ブリテンの工場制度の科学的道徳的商業的経済の解明』（一八三五年）のように、工場制度は労働者の生活をゆたかにしていると主張する人びともいたのであって、すでに産業革命当時から、労働者の生活状態については相反する見方が存在していたのである。ただこの当時においては、労働者の生活は悪化しているという見方をとる人の方が多く、しかもそれはたんなる主観的な判断によるものではなく、実態調査をふまえたうえでの発言であった。エンゲルスの時代にくらべればいくらか改善されたとはいえ、大都市、とくにロンドンにおける貧民の悲惨な状態は、一九世紀末ないし二〇世紀初頭にいたるまでつづいていたのであって、その実態をあきらかにした調査がその間にいくつか公表されている。その代表的なものとしてはヘンリ・メイヒューの『ロンドンの労働とロンドンの貧民』(一八五二年)やチャールズ・ブースの『ロンドン人民の生活と労働』(一八八九―一九〇三年)という大著をあげることができよう。これらは今日の社会調査の先駆をなす業績であるが、エンゲルスの『状態』はさらにその先駆をなすということもできるであろう。

これらの社会調査と並行して一八八〇年代から産業革命をも歴史研究の対象としてとりあげる経済史学が生まれる。その口火をきったのは産業革命史の古典といわれるアーノルド・トインビーの『イギリス一八世紀産業革命講義』(一八八四年、原田三郎訳『イギリス産業革命史』創元社、一九五三年)である。トインビーは、マルクス主義者ではないが、社会改良運動や慈善事業に情熱をもやし、かれの死後、かれを記念してつくられたトインビー・ホールはイギリス最初の大学セツルメントとなったものであるが、こういう社会改良の立場からかれは現在の社会悪の起源を産業革命にもとめ、産業革命によって社会組織が一変し、労働者の生活は急激に悪化した、と主張したのであった。この主張はその後の経済史研究に決定的な影響を与え、トインビーにつづく経済史家たち（ウィリアム・カニンガム、ポール・マントゥ、ジョン・L・ハモンドら）はいずれもかれの主張をうけいれたのである。とりわけハモンドがその妻と共同であらわした三部作、『農村労働者』（一九一一年）、『都市労働者』（一九一七年）、『熟練労働者』（一九一九年）は一七六〇年から一八三二年という期間について、それぞれのタイプの労働者の窮乏化の過程と実情をえがきだし、労働史におけるひとつの定式化をおこなったものであった。

しかしハモンドがこのような著書をつぎつぎと世に送りだしていた一九一〇年代は、いわばイギリス産業革命史研究の第二期ともいうべき時期にあたり、トインビーやマントゥらが概説した産業革命を、もっとこまかく実証的に、個々の産業あるいは個々の企業にたちいってその変化を跡づけようとするこころみのはじまったときであった。労働史にかんしてもその例外ではなく、エンゲルスやハモンドが議会委員会の報告書や当時の新聞、パンフレットなどという記述史料によりながら、いわば産業革命の暗黒面をえがきだしたのにたいし、当時の労働者の賃金や生活費はじっさいにどのくらいであったのか、それは農民の生活とくらべてよかったのか悪かったのか、などという問題を、数字的にたしかめてみようとするこころみがあらわれるようになった。その代表的なものはジョン・H・クラパムであり、かれの主著『近代イギリス経済史』（第一巻一九二六年、第二巻一九三二年、第三巻一九三八年）は「数量的方法を大規模に経済史に組織的に適用しようとした最初の企て」と自負されたものであるが、そのなかでクラパムはいくつかの統計を利用しつつ、一七九〇年と一八五〇年とを比較し、この間に労働者の名目賃金は四〇ないし五〇パーセント上昇し、一方、生計費はナポレオン戦争中に一時上昇したもののその後低落し、一七九〇年とくらべて一八四〇年に一六パーセント増、一八五〇年になると逆に一七パーセント減となったといい、したがって工業労働者の実質賃金は一八四〇年で一七九〇年に比し一六パーセント上昇し、一八五〇年では一七九〇年の七〇パーセント増となり、農業労働者の実質賃金も六〇パーセント増となったと主張したのである。こうしてクラパムによれば、産業革命期をつうじて労働者の生活状態は悪化するどころか逆に好転したのであり、エンゲルスやトインビー、ハモンドらの説は一方的な記述史料にもとづく誤った判断によるものとされることとなる。のちに、ハモンドらの説は悲観説とよばれ、クラパムの説は楽観説とよばれるようになり、これ以降、論争が本格的に展開されるようになる。

▽楽観説と悲観説の対立

クラパムの楽観説にたいしてハモンドは、労働者の生活状態は統計数字のみであらわせるものではなく、失業の不安とか、精神的苦痛とか、さまざまな要素を考慮しなければならない、と反論したが、しかしクラパムの用いた統計数字自体もかなりあやしげなものであった。名目賃金についても職種ごと、あるいは地域ごとにかなり大きな格差があり、またクラパムが用いた生計費指数は、一五品目の卸売物価から構成されたものであったが、この一五品目のうちには、当時の労働者があまり食べる機会のなかった肉類はふくまれていても、じゃがいも、酒類、家賃など労働者の家計にとってもっと重要なものはふくまれていないのである。したがって、一九三〇年代には産業革命期の労働者の賃金や生計費についてのもっと厳密な研究があらわれるようになったが、それらの研究によりながら東ドイツの労働史家ユルゲン・クチンスキーが『産業資本主義下の労働者の状態史、第一部イギリス』（一九四七年）においてしめした表によると、労働者の実質賃金は一七九〇年と一八四〇年とをくらべるとむしろ低下しており、一八五〇年にも一七九〇年に比しせいぜい〇・五パーセント程度の上昇があったにすぎないとされているのである。このように数量的方法によってもクラパム説は支持しえないように思われたが、しかしクチンスキーの用いた数字もまたかならずしも厳密ではないとして、従来の統計をすべて批判的に検討しなおしたのはトマス・S・アシュトンである。その主著は『産業革命』（一九四八年、中川敬一郎訳、岩波書店、一九五三年）であるが、かれはそのほかに一九四九年に「イギリスにおける労働者の生活水準、一七九〇―一八三〇年」（杉山忠平・松村高夫訳『イギリス産業革命と労働者の状態』未来社、一九七二年、所収）という論文をアメリカの『経済史ジャーナル』という雑誌に発表し、この論文のなかで、「時間的にも空間的にもはるかにへだたっている二組の人びとの福祉を比較することは不可能である」という懐疑的な結論をいちおうはしめしながら、しかし全体としていえば、労働者のなかでも産業革命によってその状態が改善された人びとの方が、窮乏化した人びとより多いであろうとして、基本的にはクラパムの楽観説をうけついだのであった。そのさいアシュトンはたんに労働者の実質賃金のみを問題とするのではなく、死亡率の低下、貿易の発展、食生活の改善など、さまざまなデータを補足しているが、しかしこれらはイギリス経済ないし国民全体の生活水準の指標とはなりえても、労働者階級がこのうちどれだけの分け前にあずかることができたのかは、とらえられていないのである。

産業革命期の諸統計についての実証的な研究はすすめられてはいたものの、クラパム、アシュトンらの楽観説にたいする全面的な批判のないまま、この論争は一時とだえたかにみえたが、一九五七年になってマルクス主義史家エリック・ホブズボウムがイギリスの『経済史評論』という雑誌に「ブリテンの生活水準、一七九〇—一八五〇年」（鈴木幹久・永井義雄訳『イギリス労働史研究』ミネルヴァ書房、一九六五年、所収）という論文を発表してから、論争は再開された。ホブズボウムはまず、クラパムらがよりどころとした実質賃金にかんする統計は信頼できないとしてこれをしりぞけ、しかしこれに代わりうるような資料もないので実質賃金については議論しない方がよいとして、むしろ、死亡率と健康、失業、消費生活という三つの問題を考えようとする。結論だけ紹介すると、死亡率は一八一一年から四一年にかけて上昇している。失業者は貧民として救済をうけているものが、常時、人口の約一〇パーセント、そのほかに不況期にほうりだされる失業者はその地域のその産業の労働者の半分とか、八割以上にもおよんだ。消費生活では小麦を常食とする人がふえたというアシュトン説は誤りであり、肉の消費量もふえておらず、むしろ消費がふえているのは貧民が肉の代りとした魚である。こうしてホブズボウムは、すくなくとも一八四〇年代なかばまでは楽観説はあてはまらない、と結論するのである。

この悲観説の再燃にたいしてただちに反論を展開したのはロンルド・M・ハートウェル「イギリスにおける生活水準の上昇、一八〇〇―一八五〇年」（『経済史評論』一九六一年）である。ハートウェルはまず一人当り国民所得の増大、国民所得中の賃金部分の増加、預金および預金者の増加、貿易の発展、物価の低落などの一般的指標をしめしたのち、主として消費生活にかんするホブズボウムの主張に批判を加えているが、さらにかれは、悲観論者が労働者の状態が悪化したというとき、それは産業革命以前の状態と比較しているのだけれども、産業革命以前の農村の生活はそんなによかったのだろうかと反問し、すくなくとも産業革命は労働者にとって向上の可能性をひらいたし、女性の社会的進出にも道をひらいたではないか、としめくくっている。

論争はそのあともしばらくつづいたが、これ以上紹介する必要はないであろう。ただエンゲルスの『状態』との関係でひとことつけ加えるなら、前節にのべられているように、一八八五年にこの書物が英訳されたのは、マルクス、エンゲルスの思想をイギリスへ紹介するためであったのだが、一九五八年にW・H・チャロナーとW・O・ヘンダーソンとによってこの書物の新しい英訳が出版されたのは、エンゲルスの悪口をいうためであった。この二人の訳者はエンゲルスの引用の誤りや年代の誤りなどをこまかく指摘し、そうすることによってエンゲルスの記述の全体が信用できないものであるかのような印象を与え、ようするにこの書物は政治的な意図をもって書かれた宣伝文書だ、ときめつけているのである。ホブズボウムはただちにこの訳者解説を批判する論文を発表したが（「歴史と『くらい劣悪な工場』」邦訳『イギリス労働史研究』所収）、楽観論者たちは非観説の原型ともいうべきエンゲルスの『状態』まで批判をさかのぼらせ、非観説を政治的ときめつけることによって、かえって逆にみずからの政治的意図を露呈してしまったのである。

▽生活水準論争の意味

以上のような生活水準論争のまとめとして、最後にいくつかのことを指摘しておきたい。

まず第一に、エンゲルスが『イギリスにおける労働者階級の状態』で古典的にえがきだした産業革命期の労働者の惨状は、その後の数量的手法による修正のこころみにもかかわらず、ついにこれを修正することはできなかった、ということである。たしかに悲観論者といわれる人びとも楽観論の側も、実質賃金や生計費指数などの数字で、相手方を十分に納得させることができたとはいいがたい。それはたとえば産業革命期の労働者の賃金が固定した時間給ではなく、出来高払いであったり現物給与をふくんでいたり、あるいは二重雇用制で賃金の一部をさいて補助労働者を雇ったりしていたために、手取り収入の推定がほとんど不可能であり、また賃金格差も大きかったというような理由による。生計費についても事情は同じである。生活水準論争のなかで賃金や生計費の推定がすすんだことはひとつの成果ではあるけれども、労働者階級全体の生活水準を数字的にしめすことはいぜんとして不可能なのである。したがってもしエンゲルスのえがいた労働者像を修正しようとすれば、エンゲルスと同じくらい豊富な記述史料によって、エンゲルスとは逆の結論をださなければならないであろうが、そのことは楽観説をとる人びとのこころみえないことであった。

第二に、ホブズボウムが正しく指摘したように、労働者の生活水準を問題にするばあいには、たんに賃金収入をえている労働者のみをとりあげるのではなく、失業者や貧民救済をうけている人びとをも考慮する必要があり、またハモンドがのべたように、労働者の精神的・道徳的状態をも視野にいれるべきであろう。エンゲルスが「労働者階級の状態」というときには犯罪の増加まで考慮していたことはすでにのべたとおりであるが、楽観説をとる人びとにはこういう視角はみられないのである。

第三に、生活水準論争の背景には、たんに産業革命期をどうみるかということだけではなしに、資本主義そのものをどうみるかという問題が横たわっているといえる。エンゲルスの『状態』は、産業革命期の労働者の姿をとおして、理論的な未熟さを残しながらも、資本主義の本質にせまるものであり、その意味で実践的・政治的な性格をもつものであった。また、トインビーらの悲観説が一八八〇年代という帝国主義への移行期にあらわれ、クラパムらの楽観説が一九二〇年代という資本主義の相対的安定期にあらわれたのも、けっして偶然ではないといえよう。したがってわたくしたちもエンゲルスのこの書物を、けっして外国の昔話としてよむのではなく、わたくしたち自身の資本主義観をためされるものとしてよまなければならないであろう。

4　エンゲルスのイギリス労働者階級観

▽『状態』におけるイギリス労働者階級観の諸特徴

エンゲルスは、『イギリスにおける労働者階級の状態』の冒頭にかかげた、原文も英語の「イギリスの労働者階級に寄せる」の最後の部分で、つぎのように書いている。「……私は諸君が人間であって、自分の利益と全人類の利益とが同じであることを心得ている、あの巨大で国際的な人類の家族の一員であることを知った。……諸君、これまで歩いてきた道をすすめ。なお多くのことが諸君の面前にさし迫っている。毅然とせよ、くじけてはならない――諸君の成功は確固不動である。そして、諸君が行かねばならない道をすすむ一歩一歩は、すべてわれわれの共同の仕事、人類の仕事のために役だつことになるであろう」（『全集』二巻、二二六ページ、傍点は原文）。

ここに象徴的に示されている、若きエンゲルスの、イギリス労働者階級にたいする熱烈な期待こそは、かれに『状態』を独立に書かせた原動力のひとつであった。そして、その熱烈な期待は、人間を非人間化する（疎外する）ものへのつよい怒りと不可分のものでもあった。

しかしエンゲルスは、熱情だけで『状態』を書いたのではない。その熱情の基底には、「労働者階級の状態は、現代のあらゆる社会運動の実際の土台であり、出発点である」（『状態』「序文」同上、二二七ページ）という冷徹な認識があり、それもまたエンゲルスの原動力であった。

そしてさらにエンゲルスは、その「序説」の冒頭で、「イギリスにおける労働者階級の歴史は、前世紀の後半、すなわち蒸気機関と、綿花を加工するための機械の発明とともにはじまる」（同上、二三〇ページ）と書く。そこには、エンゲルスの産業革命への刮目ぶりが、きわめて端的に示されている。それは、エンゲルスのもうひとつの原動力となっている。

これらの原動力は、エンゲルスにとっては、同時にまた、『状態』をつらぬく基本視点でもあったのである。したがって、『状態』におけるエンゲルスのイギリス労働者階級像は、よかれあしかれ、これらの基本視点に規定されることになった。

それでは、『状態』におけるエンゲルスのイギリス労働者階級像は、どういう特徴をもつものであっただろうか。そしてそれは、現実のイギリス労働者階級像と、どこで合致し、あるいはどこでずれていただろうか。

第一に指摘できることは、『状態』のイギリス労働者階級が、一面ではきわめて当然のことであるが、なによりもまず産業革命の長子として、したがって同時にまた、もっとも古典的な存在としてとらえられていることである。

第二に、第一の指摘の、とくに前半に直接に関連して、イギリス労働者階級は、産業革命へのかかわり方の強弱に応じて、一に工業プロレタリアート、二に鉱山プロレタリアート、三に農業プロレタリアート、四にアイルランド人労働者、そして一がさらに、産業革命の本来の長子である「工場労働者」とその周辺労働者とに区別されて、むしろ序列化されて、とらえられる。したがって、エンゲルスにとって、つぎに第三の指摘としてのべることもふくめて、基幹労働者は、「工場労働者」、具体的には綿工業労働者だったのである。

このことは、エンゲルスが、産業革命を、正確かつ冷静に、まさしく歴史の経過点としてうけとめたこととあいまって、あの『資本論』の基本的認識の土台を形成することにつながっていったといっていいであろう。しかし、逆に、そのことによって、ひとつには「工場労働者」への期待過剰が、ふたつにはその他の労働者への一定の軽視が生じ、すくなくとも今日われわれがイギリス労働者階級の実像をほりきざんでいこうとするときに問題となってくる、「工場労働者」内にもみられた二重雇用制の問題や、手工業職人層が果たした役割（クラフト・ユニオン）の問題などの影をうすれさせることにもなった。ただし、エンゲルスがそれらの問題を、まったく見落としていたのではなかったことは、すでに第3章でもふれておいた。

第三に、第一の指摘の後半にも関連して、エンゲルスは、イギリス労働者階級を、革命の担い手として成長していく――しかも急速に成長していくものとしてとらえている。熱烈な期待である。急速にという点では、エンゲルスはみずからの予測のあまさを自己批判もするのであるが、成長していくという点では、エンゲルスは、あとでみていくように二転するし、厳密な意味では、われわれもまだ、そのことについて、最終的な解答を手にいれてはいないわけである。エンゲルスのこの期待については、過度とも性急とも批判することは容易だが、ただそれを一切ぬきにしては、エンゲルスはエンゲルスたりえなかったことを、われわれは見落としてはならない。それはエンゲルスにとっては、歴史の座標軸としての意味ももっていたのである。

第四に、前述の主体成長の問題にも関連して、エンゲルスは、イギリス労働者階級の運動を、どうとらえていたであろうか。エンゲルスは、それについての叙述を、犯罪、暴動、労働組合、チャーティズム、イギリス社会主義、そして最後のふたつを統一したものとしての共産主義という順序ですすめている。最後のものは、もちろん展望としてえがかれているのだが、そのことに象徴的に示されているように、それらの叙述順序は、たんに歴史の生起順であるばかりではなく、運動の、論理的な、あるいは法則的な展開＝発展の序列ないし諸段階をも示しているのである。しかも注意すべきことは、最後の展望を別とすれば、その他はすべて、イギリス労働者階級の現実の運動展開そのものであったということである。その意味では、さきの、エンゲルスのイギリス労働者階級成長論には、裏づけがあったのである。

こうして、『状態』において、エンゲルスは、ほかならぬ産業革命によって一方では疎外されながらも、しかもその産業革命の歯車を逆転させることなく社会変革を実現していく、歴史の真の担い手としてのプロレタリアート像を、すなわちあるべきプロレタリアート像を、一貫して追求していたのである。つまりエンゲルスは、イギリス労働者階級の現実のなかから、労働者階級の理念像を抽出することを試みたのであり、しかもその試みは、基本的に成功したといっていいであろう。そのことの結果として、エンゲルスは、現実のイギリス労働者階級像について、一方では読みこみすぎを、他方では逆に読みおとしをしたともいわなければならないが、それらふたつのことは、プロレタリアートの理念的把握のためには、ともに不可避のことでもあったのである。そのこともふくめて、『状態』における、エンゲルスのイギリス労働者階級像は、くりかえしていえば、かれの基本視点に規定されていたのである。

▽イギリス労働者階級観の転回

エンゲルスの、理念的把握がまさったイギリス労働者階級観は、一八四八年のチャーティズムの挫折、そして一八五〇年代にはじまるイギリス資本主義の「黄金時代」という状況のなかで、その性急な期待が消えて、ひとつの転回をしめしていくことになる。エンゲルスは、あとでみるように、イギリス労働者階級のこの時期を、のちに「冬眠」期と規定することになるのである。

その転回はしかし、手のひらをかえすようにおこなわれたのではなかった。一八五〇年代末にいたるまでは、エンゲルスもマルクスも、なお、チャーティストへの、とりわけアーネスト・ジョーンズ(一八一九―六九)への期待を、失望とないまぜてにしろ、くりかえし語りつづけるのである。しかしエンゲルスは、一八五八年一〇月七日付のマルクス宛の手紙で、イギリスのプロレタリアートのブルジョア化の懸念を表明する。それは、ジョーンズが急進派ブルジョアジーとの同盟＝妥協の方向に傾いたことを契機にして書かれたものであるが、エンゲルスはいう、「僕には、ジョーンズの新しい動きは、そうした同盟の以前の多少とも効果的な試みと結合して、実際には次のことと関連してくるように思える。すなわち、イギリスのプロレタリアートが事実上だんだんとブルジョア化してゆき、その結果全国民中で最もブルジョア的なこの国民が、究極はブルジョアジーと並んでブルジョア的貴族とブルジョア的プロレタリアートをもつようになるだろう、ということだ。今世界を搾取している一国民においては、そのことは確かにいくらか当然の点もあるだろうが。ここでは二、三年の根本的に悪い年だけが役に立つだろう」（『全集』二九巻、二八〇ページ、傍点は原文）と。

エンゲルスはまた、一八六三年四月八日付マルクス宛の手紙で、奇しくも『状態』の新版をだすのが適当でない理由として、「今はいっさいの革命的なエネルギーがイギリスのプロレタリアートからほとんど完全に蒸発しているし、イギリスのプロレタリアはブルジョアジーの支配に完全に同意している旨を言明しているからだ」（『全集』三〇巻、二七一ページ）と書く。ただしマルクスは、その翌日付の、一八六三年四月九日付のエンゲルス宛の手紙で、「どんなに早くイギリスの労働者たちが彼らの外観上のブルジョア感染から解放されるかは、まだ待ってみなければならない」（同上、二七四ページ）と留保してはいる（なお、マルクスが、いまの引用部分につづけて、エンゲルスの『状態』の主要な記述について、「それは微細な点に至るまでその後の一八四四年以来の発展によって実証されてきている」（同上、二七四―五ページ）と書いているのは興味深い）。

そして、一八六八年一一月一八日付マルクス宛の手紙で、エンゲルスは、当時の議会選挙の結果に関連して、「どこでもプロレタリアートは、公認の党の添えもので、切れっぱしで、しっぽなのだ」(『全集』三二巻、一六四ページ) と、イギリス労働者階級を批判し、マルクスも翌一八六九年一二月一〇日付エンゲルス宛の手紙で、「イギリスの労働者階級は、それがアイルランドから免れないうちは、けっしてなにごとも達成しはしないだろう。槓杆はアイルランドに据えられなければならない」(同上、三三六ページ、傍点は原文) と指摘する。マルクスのこの手紙は、別の重要な意味をもっているが、ここでは、それが国際労働者協会 (第一インターナショナル) の中央評議会の議題に関連するものであったことを付記しておこう。

マルクスの指摘をもふくめてであるが、以上でみてきたように、おそくとも一八五〇年代末以降、エンゲルスのイギリス労働者階級観が、ひとつの転回を示したのは、あきらかである。

ただし、その場合、もうひとつの視点として注目しておきたいことは、つぎの諸点である。すなわち、さきの諸引用中、たとえばイギリス・プロレタリアートの「ブルジョア化」についてのエンゲルスの指摘が、決定的に断定的ではないこと、また、一八六三年四月の、一日のずれで書かれたエンゲルスとマルクスのそれぞれの手紙も、両者をつなげて読めば、そこでもイギリスのプロレタリアートについての断定が回避されていること、さらにまた一八六八―六九年の、ふたりによるイギリス労働者階級批判の表側では、すでに示唆しておいたように、この時期には主としてマルクスによってであったが、ともあれイギリス労働者階級との協働が、第一インターナショナルの活動としてすすめられていたこと、これらの諸点に注目する必要がある。

それら諸点に注目するとき、エンゲルスのイギリス労働者階級観の転回が、短期的なものであっても、究極的なものではなかったことがあきらかになってくる。ホブズボーム*のことばをかりていえば、エンゲルスは、マルクスとともに、この間においても、「転向」することはしなかったのである。

* E. J. Hobsbawm, 'K. Marx and British Labour Movement', in *Marxism Today*, Vol. 12, No. 6, 1968.

▼イギリス労働者階級観の再転回

事実、エンゲルスは、一八八五年には、前々節でもふれられていたように、「大不況」分析をとおして、「イギリスにふたたび社会主義が存在するようになること」を論証して、いわば、その数年のちの一八八九年の新組合運動の噴出をみごとに予測し、実際にその新組合運動の展開をまのあたりにしたあとの一八九〇年五月には、「そのながいあいだの冬眠――それは一方では一八三六年―一八五〇年のチャーティスト運動の失敗の結果であり、他方では一八四八―一八八〇年の巨大な産業的飛躍の結果である――はついに破れた。昔のチャーティストの子孫たちが戦線に登場しているのである」(「ロンドンの五月四日」『全集』二二巻、六三ページ)と、目をみはるのである。すなわち、エンゲルスは、ここで、かつての『状態』におけるイギリス労働者階級への期待をとりもどすのである。エンゲルスのイギリス労働者階級観のもうひとつの転回である。

この転回はしかし、『状態』で示された、イギリス労働者階級にたいする期待感の単純な再現を意味するものではなかった。ひとつには、それが、労働貴族規定をふまえていたからであるし、いまひとつには、それが、エンゲルス独自の「大不況」分析をふまえていたからである。

エンゲルスのもっとも明確な労働貴族規定は、これまでくりかえし引用してきた「一八四五年と一八八五年のイギリス」であたえられている。エンゲルスは、この期間において、「永続的な改善は、労働者階級の二つの『保護された』部分にしか認めることができない」として、「その第一は」、工場法の適用をうけてきた「工場労働者たち」であり、そして「第二は」、「機械工、大工、指物師、煉瓦積工」らの「大きな労働組合」であって、かれらは、その強力な組合によって「比較的にいごこちのよい地位をかちとることに成功し」、「その地位を最終的なものとして受けいれ」、「労働者階級のなかの貴族を形成している」が、「だが、労働者の大部分についていえば」、かれらの状態は、「以前より悪くはなっていないにしても、あいかわらず劣悪である」と指摘し、さらに、これらが、「一八四七年の自由貿易政策と、二〇ヵ年にわたる工業資本家たちの支配とによってつくりだされた状態であった」（『全集』二一巻、一九九―二〇〇ページ、傍点は引用者）と総括している。労働貴族が、「つくりだされた状態」であるという指摘は注目に値するのであるが、これが、その後レーニンをも経由して、*今日、一九世紀イギリス労働者階級を語る際にほとんど不可欠の一概念となった「労働貴族」論の、ひとつの源流である。**

＊　レーニンの労働貴族論そのものについては、さしあたりかれの『帝国主義論』第八章を、その展開

過程については、E.J. Hobsbawm, 'Lenin and the "Aristocracy of Labor"', in *Monthly Review*, Vol. 21, No. 11, 1970（スウィージー／マグドフ編『現代とレーニン』坂井秀夫・岡俊孝訳、福村出版、所収）を、それぞれ参照されたい。一九世紀末期を、エンゲルスは、あとでもみるように、労働貴族の「終り」と考えていたが、レーニンは、むしろその「始り」とみていたといえる。

なお、労働運動史家の労働貴族論の最新の展開については、松村高夫「一九世紀第三・四半期のイギリス労働史理解をめぐって（上）」（『日本労働協会雑誌』一九七七年一一月号）を参照されたい。

** 「労働貴族」ということばは、すでに一八五〇年に、マルクスとエンゲルスの共同執筆とされる「評論」（『新ライン新聞、政治経済評論』所収、当初は無題）において、「チャーティスト党のこれまでの組織も同様に解体しつつある。まだ党内にいる小ブルジョアは労働貴族と結びついていて、純然たる民主主義分派を形成している。……真にプロレタリア的な条件のもとで生活している労働者の大衆は、チャーティストの革命的分派に属している」（『全集』七巻、四五五ページ、傍点は引用者）という文脈のなかでもちいられているし、『資本論』にも「恐慌が労働者階級の最高給部分にたいしてさえ、労働者階級の貴族にたいしてさえ、どんな影響を及ぼすかを明らかにしておかなければならない」（『全集』二三b巻、八七一ページ、傍点は引用者）という箇所がある。

なお、「労働貴族」ということばは、ヴィクトリア期イギリスでは、一般的な論評のなかでももちいられていたといわれる。

エンゲルスは、いまの引用にすぐつづけてイギリス資本主義の「一八七六年以来」の「慢性的な停滞状態」にふれ、それが「アキレウスのかかと」になることを指摘（『全集』二二巻、二〇〇―二ページ）し、さらにはアメリカ次第で、「イギリスの工業上の独占の破滅が完全なものとな……

ることは、確かです。そうなれば、危機がやってくるにちがいありません、どんなに遅くとも今世紀の終りにはです」（一八九三年三月二四日付ダニエリソン宛手紙、『全集』三九巻、三五ページ、傍点は原文）と展望している。世紀末危機という独特な把握であったにせよ、エンゲルスは、目前で展開している「大不況」を、正確に変動期としてとらえていたのである。

こうしてエンゲルスは、その晩年、アメリカ、イギリスおよびドイツで、あらためて出版されることになった『イギリスにおける労働者階級の状態』のすべての版に、なんらかのかたちで組みいれた記念碑的論文「一八四五年と一八八五年のイギリス」の最後をつぎのようにむすんでいる。「真実はこうである。イギリスの工業独占期には、イギリスの労働者階級は、ある程度まで独占の利益の分け前にあずかってきた。これらの利益は、彼らのあいだにきわめて不平等に分配された。特権的な少数者がその大部分をポケットに入れたが、広範な大衆でさえも、すくなくともときには、その一時的な分け前にあずかったのである。そして、このことが、オーエン主義の死滅以来、イギリスに社会主義が存在しなかった理由なのである。この独占の崩壊とともに、イギリスの労働者階級は、こうした特権的な地位を失うであろう。彼らは全般的に——特権的、指導的な少数者もふくめて——外国の仲間の労働者たちと同じ水準におかれたことに気づくことであろう。そしてこのことが、イギリスにふたたび社会主義が存在するようになることの理由なのである」（『全集』二一巻、二〇二ページ、傍点は引用者）。

そして一八八九年、ロンドン・ドック・ストライキを目にして、エンゲルスは、「私は命あってそれに出あったことを誇らしく、またうれしく思う。マルクスが生きていて、これを目にすることができたら！」（『全集』二一巻、三八五ページ）と、感激をこめて書き、一八九二年の『状態』イギリス版への序文でも、「ロンドンのイースト・エンドの目ざめこそ、この世紀末（fin de siècle）最大の、最も実りゆたかなできごとの一つであり、また私は、生きてこのできごとにめぐりあえたことを喜びとし、誇りとするものである」（『全集』二二巻、二八五ページ、同年のドイツ語版にも再録、同上、三三五ページ）とくりかえしている。晩年のエンゲルスは、イギリス労働者階級を、イースト・エンドにひきよせすぎていたとはいえ、この時期は、イギリス労働者階級にとって、まちがいなく、あらたな転換期であった。その意味では、エンゲルスは、最後に、イギリス労働者階級に報いられたといっていいであろう。

（1・2　安川悦子
　3　浜林正夫
　4　鈴木幹久）

『イギリスにおける労働者階級の状態』主要版次

A ドイツ語版

1 *Die Lage der arbeitenden Klasse in England, nach eigner Anschauung und authentischen Quellen*, Leipzig, 1845.

2 2 Auflage, Leipzig, 1848.（初版のリプリント）

3 Zweite Auflage, Stuttgart, 1892.（一八九二年に書かれたエンゲルスの序文が付されている。）

4 Hrsg. von V. Adoratskij, im Auftrage des Marx-Engels-Lenin-Instituts Moskau, Wien, 1932.

5 In Karl Marx und Friedrich Engels, Werke, Bd. 2, Berlin, 1957.

6 Eingel. von W. O. Henderson, Hannover, 1965.

7 Hrsg. von Wolter Kumpmann, München, 1973.

B 英語訳

1 *The Condition of the Working Class in England in 1844*, translated by F. K. Wischnewetzky, New York, 1887.（一八八七年にエンゲルスが書いた新しい序文とあとがきがつけ加えられ、初版につけられていた「序文」と「イギリスの労働者階級に寄せる」という英語でかかれた献辞が削除されている。また、こまかな語句がエンゲルスによってかなり改変されている。）

2 Translated by F. K. Wischnewetzky, London, 1892.（一八八七年アメリカ版と同じもの。ただし、一八八七年版の序文とあとがきは削除され、これにかわって、これらの内容をとりこんで新しく一八九二年に書かれた序文がつけ加えられている。）

3 Translated and edited by W. O. Henderson and W. H. Chaloner, Oxford, 1958. (New edition 1970, Stanford Univ. Press, 1968.)

4 In Karl Marx & Friedrich Engels, *Collected Works*, Vol. 4, Moscow, 1975.（一八九二年イギリス版のテキストによっている。一八四五年と一八九二年のドイツ語版との異同が注記されている。）

C フランス語訳

1 *La situation des classes laborieuses en Angleterre*, tr. par Bracke (A.-M. Descrousseaux) et p.-J. Berthaud, Paris, 1933.

2 *La situation de la classe laborieuse en Angleterre d'après les observation de l'auteur et des sources authentiques*, tr. et notes par G. Badia et J. Frédéric, Avant-propos de E. J. [Hobsbaum], Paris, 1961.

D 日本語訳

1 竹内謙二訳『英国労働階級の状態』同人社書店、一九二六年。

2 河西太一郎他訳『イギリスにおける労働階級の状態』(『マルクス・エンゲルス全集』第3巻、改造社)一九二九年。

3 森下修一訳『イギリスにおける労働者階級の状態』社会主義著作刊行会、一九四九年。

4 『イギリスにおける労働者階級の状態』(マルクス＝レーニン主義研究所編『マルクス・エンゲルス選集』補巻2、大月書店) 一九五一年。

5 岡茂男訳『イギリスにおける労働者階級の状態』(『マルクス・エンゲルス全集』第2巻、大月書店) 一九六〇年。(同、国民文庫、一九七一年)。

	エンゲルス年譜	イギリス労働運動史
一七九二		ロンドン通信協会結成（労働者の最初の政治啓蒙組織）
		ストックポート、オールダムに紡績工組合（工場労働者の最初の組合）
九八		全国帽子職人組合結成
九九		織布工組合結成
		通信禁止法（ロンドン通信協会弾圧）
		団結禁止法
一八〇〇		団結禁止法修正法
〇一		アイルランド合併
〇二		「徒弟の健康・道徳法」（最初の工場法）
〇九		鉄鋳造工友愛協会結成
一〇		紡績工総同盟結成
一一		（〜一六）ラダイト運動
一二		ハムデン・クラブなど中産階級の政治団体生まれる
一七		「ブランケッティアの行進」（マンチェスターからロンドンへの請願デモ）
一八		ランカシャとロンドンに博愛協会結成（地域労働組織のはじまり）
一九		「ピータールーの虐殺」（マンチェスターのセン

一八二〇　ドイツ、ラインラント地方バルメンで生まれる

ト・ピータース広場の大衆集会への大弾圧)
「六法」(大衆運動弾圧法) 制定
工場法(年少者健康維持法)

二一　ロンドン協同経済協会設立(最初の協同組合)

二三　グラスゴウ職工学校設立
団結禁止法廃止

二四　ロンドン協同組合設立
蒸気機関製造工組合結成
ロンドン船大工組合結成

二五　ロバート・オーエン、アメリカに共産村建設
団結禁止法廃止法修正
ノーサンバランド・ダラム坑夫組合結成
工場法(年少者健康維持法)
首都労働組合委員会結成

二六　蒸気機関製造工・機械工組合結成

二七　大工・指物師友愛組合結成
ブライトン協同組合結成

二九　全国紡績工組合結成

三〇　全国労働擁護協会結成(労働組合の最初の全国組織——一八三二年崩壊)
スウィング一揆(農業労働者の脱穀機打ちこわし)

	エンゲルス年譜
三四	バルメンの隣町、エルバーフェルトのギムナジウム入学
三七	ギムナジウム退学、バルメンに帰る

	イギリス労働運動史
三一	陶工全国組合結成 全国労働者階級同盟結成（選挙法改正のための政治組織） 全国政治同盟結成（中産階級の政治組織） 首都労働組合結成 工場法 現物給与禁止法 建築工組合結成（または一八三二年）
三二	オーエン、労働交換所設立 第一次選挙法改正（中産階級選挙権獲得）
三三	工場法（工場監督官制をもうける） 奴隷制廃止
三四	全国労働組合大連合（グランド・ナショナル）結成（この年崩壊） トルパドル事件（農業労働者組合設立の動きへの弾圧） 救貧法改正（労働能力者への院外救済廃止）
三六	ロンドン労働者協会結成（チャーティスト運動の母胎） 反穀物法同盟結成（中産階級主体）

三八	ブレーメンのロイポルト商会へ商売見習にいく
三九	『テレグラフ・フュル・ドイッチラント』にはじめて論文を発表（『ヴッパータールだより』）
四〇	夏、イギリスへ短期間の旅行をする
四一	商売見習をおえてバルメンにかえる 秋、ベルリンへ一年志願兵としてでかける ひまをみてベルリン大学で聴講し、青年ヘーゲル学派と交わる シェリング批判の論文を発表
四二	秋、ベルリンからバルメンへ帰る途中、ケルンでモーゼス・ヘスにあう 一一月、イギリスのマンチェスターのエルメン・エンゲルス商会へ働きにでかける 途中、ケルンではじめてマルクスに会う イギリスについてすぐ、イギリスの現状についての論文をかく
四三	マンチェスターに住み、チャーティストやオーエン主義者と交わる 「ロンドンだより」他を発表 一一月、イギリス国民経済学について研究し、「国民経済学批判大綱」を執筆、『独仏年誌』（一八四四年）に発表

三八	「人民憲章」発表、署名運動はじまる（チャーティスト運動）
三九	チャーティスト、第一回の署名提出
四〇	全国憲章協会結成
四一	イギリス坑夫連盟結成（一八四二年説もある）
四二	鉱山法（女性の地下労働禁止） チャーティスト、第2回の署名提出
四三	レベッカ一揆（ウェールズの農民暴動）

エンゲルス年譜

四四	夏、イギリスからバルメンにかえる。途中パリでマルクスに会い『神聖家族』のための原稿をかきのこす 年末から、一八四五年三月にかけて、バルメンで『イギリスにおける労働者階級の状態』を執筆
四五	二月、エルバーフェルトの「労働者福祉協会」で演説、「共産主義」運動をはじめる 四月、ドイツをおわれてベルギーのブリュッセルのマルクスのところにいく 五月、『イギリスにおける労働者階級の状態』ライプツィヒで出版 七〜八月、マルクスとともにイギリス旅行 秋から翌年夏にかけてマルクスとともに『ドイツ・イデオロギー』を執筆
四六	夏、パリにうつり共産主義運動に没頭しはじめる
四七	一〇月、共産主義者同盟の綱領草案として、『共産主義の原理』を執筆 一一月、マルクスとともにロンドンの共産主義者同盟の大会に出席し、その綱領として『共

イギリス労働運動史

四四	工場法 ロッチデール・パイオニアズ（消費協同組合）設立
四五	労働保護全国職種連合協会結成
四六	穀物法廃止
四七	工場法（一〇時間法） ロンドンで共産主義者同盟第一回大会

	産党宣言』の執筆をはじめる
四八	二月、『共産党宣言』ロンドンで出版 フランス、ドイツでの革命の勃発にともない、マルクスとともに革命運動に参加 四月、ドイツのケルンで『新ライン新聞』を発行
四九	南ドイツでの革命運動に参加し、弾圧される。マルクスについでロンドンに亡命
五〇	エルメン・エンゲルス商会で働くためマンチェスターにいく
五一	『ニューヨーク・デイリー・トリビューン』への寄稿をはじめる
五九	『ポーとライン』ベルリンで出版
六〇	エンゲルスの父死亡。バルメンへいく
六三	エンゲルスの妻、メアリ・バーンズ死亡 マルクス、『資本論』のための研究に没頭しはじめる
六四	九月、国際労働者協会（第一インターナショナル）ロンドンで創立、マルクス活躍

四八	チャーティスト、第三回の署名提出、チャーティスト運動挫折
五一	合同機械工組合（ASE）結成（新型組合のはじまり）
五八	グラスゴウ労働組合評議会結成
五九	労働者妨害法（ストライキ権を法認）
六〇	大工・指物師合同組合結成 ロンドン労働組合評議会結成
六二	労働組合政治同盟結成
六三	全国炭坑夫連盟結成
六四	国際労働者協会（第一インターナショナル）結成（〜一八七六）、ロンドンに本部
六五	全国議会改革同盟結成

エンゲルス年譜

六七	マルクス『資本論』第一巻、ハンブルクで出版
六九	エルメン・エンゲルス商会の仕事から手をひく
七〇	マンチェスターをひきあげてロンドンに出てくる
	研究と社会主義運動に専念するようになる
	第一インターナショナル総評議会の評議員になる。マルクスとともにバクーニン派とたたかう
七三	『自然弁証法』の構想をあきらかにする
	エンゲルスの母死亡

イギリス労働運動史

六七	ホーンビー・クローズ事件判決（労働組合資金の法的保護否認）
	第二次選挙法改正（都市労働者選挙権獲得）
六八	労働組合会議（TUC）結成
六九	労働議員選出連盟結成
七一	労働組合法（労働組合の法認）
	刑法修正法（ピケ権制限）
	労働組合指導者、第一インターナショナルを離脱（パリ・コミューンの評価の相違）
七二	全国農業労働者組合結成
	鉄道従業員組合結成（七一年説もある）
七四	女性保護備災連盟結成（八九年に全国女性労働組合へ）
	労働者出身の議員誕生、自由党に所属（「自由

七六	デューリング批判の論文を発表しはじめる
七八	七月、『オイゲン・デューリング氏の科学の変革』(反デューリング論)ライプチッヒで発表 九月、エンゲルスの妻リジー・バーンズ(メアリ・バーンズの妹)死亡
八〇	『反デューリング論』のはじめの三章をまとめて『空想から科学への社会主義の発展』としてフランス語で出版
八三	三月、マルクス死亡 四月、マルクス『資本論』第2巻、第3巻となる遺稿を整理しはじめる
八四	『家族・私有財産・国家の起源』チューリヒで出版 W・モリス、エリナ・マルクスらの「社会主義者同盟」の結成をたすける

	—労働」連合)
七五	雇用法・労働者法(労働組合の法認前進) 刑法修正法廃止
八一	民主連盟結成(八四年社会民主連盟へ) 繊維労働者総同盟結成 ロンドンのマッチ工場の女性労働者ストライキ(新組合運動の胎動)
八二	ガス労働者のストライキ
八四	第三次選挙法改正(農村労働者選挙権獲得) フェビアン協会結成 社会主義者同盟結成

年	エンゲルス年譜
八五	『資本論』第2巻、ハンブルクで出版
八七	一月、『資本論』第1巻、英訳(S・ムーア訳)ロンドンで出版、エンゲルスが校閲する 五月、『イギリスにおける労働者階級の状態』英訳(F・K・ウィシェネウェツキー訳)を校閲し、序文をつけて、ニューヨークで出版
八八	『共産党宣言』の英訳(S・ムーア訳)を校閲し、序文をつけてロンドンで出版
八九	パリで国際労働者大会(第二インターナショナル)開催、マルクス主義派の大会開催に援助 ロンドンで港湾労働者のストライキ、これを高く評価する
九〇	ロンドンで最初のメーデーに参加
九一	マルクスの『ゴータ綱領批判』(一八七五年)を公表
九二	『イギリスにおける労働者階級の状態』英訳、あらたな序文をつけてロンドンで出版、シュトゥットガルトでも出版
九四	『資本論』第3巻をハンブルクで出版

年	イギリス労働運動史
八七	現物賃金廃止法 トラファルガー広場の集会弾圧(「血の日曜日」)
八八	全英鉱夫連盟結成(八九年説もある)
八九	ガス・一般労働者組合結成(一般組合のはじまり) 第二インターナショナル結成 ロンドンのドック・ストライキ(新組合運動の噴出)
九〇	第一回メーデー(ロンドン)
九三	独立労働党結成

九五	マルクスの『フランスにおける階級闘争』への序文をかく 八月、エンゲルス死亡
一九〇〇	労働代表委員会結成
〇一	タフ・ヴェイル判決（労働組合に争議の損害賠償要求）
〇六	労働党結成 労働争議法（タフ・ヴェイル判決を破棄）

索　引

索　引

さ　行

た　行

な　行

は　行

索　　引

有斐閣新書・古典入門　エンゲルス　イギリスにおける労働者階級の状態

1980年7月20日　初版第1刷印刷
1980年7月30日　初版第1刷発行 ©

著　者　浜林正夫
　　　　鈴木幹久
　　　　安川悦子

発行者　江草忠允

発行所　株式会社　有斐閣
〒101 東京都千代田区神田神保町 2-17
電話 (03) 264-1311　振替 東京 6-370
京都支店〔606〕左京区田中門前町 44

落丁本・乱丁本はお取替えいたします　理想社印刷・明泉堂製本

★定価はカバーに表示してあります

《有斐閣新書》の刊行に際して

今日ほど教育の問題が関心を集めた時代がかつてあったでしょうか。戦後の教育改革からすでに三十年、昨今の高校・大学進学率ひとつをとってみても、そのはげしい変化には驚くべきものがあります。これらの変化は高度経済成長がもたらした「消費革命」とはまったく質を異にする新しい時代の到来を感じさせます。それは一種の「意識革命」というべきものかも知れません。このような時代のなかで、きわめて多数の人びとが、主体的にあるいは創造的に「学び」かつ「知る」という欲求を強くもちはじめています。大学をはじめとするさまざまな学校、市民生活の場としての地域や職場で多種多様な講座がもたれるようになりました。現代が「開かれた大学の時代」とか「生涯教育の時代」とよばれるゆえんであります。

小社は、これまで《有斐閣双書》《有斐閣選書》をはじめとする出版活動をとおして、社会科学・人文科学の諸分野にわたる専門知識を広く社会に提供する努力をつづけてまいりましたが、このたび「専門知識を万人に」の願いをこめて、新しい時代にふさわしい出版企画《有斐閣新書》を、創業百周年記念出版のひとつとして発足させることにいたしました。

《有斐閣新書》は、現代人の多様な知的欲求に応えようとするものであり、小社が永年培ってきた学術出版の伝統を生かした新しいタイプの基本図書であります。この点で、本新書は、これまでの一般教養向きの新書とはまったく性格の異なる出版企画であり、現代における学術知識の普及への新しい使命をになうものと言えましょう。

《有斐閣新書》は、新書判というハンディな判型の中で最新の学問成果を平明に解説し、必要にして十分な内容を収めるとともに、古典の再発見に努めるなど、現代に生きるすべての人びとにとって、学問の扉をひらく際のよきガイドブックとなることを意図しております。読者のみなさまの一層のご支援をお願いしてやみません。

(昭和五十一年十一月)

エンゲルス　イギリスにおける
労働者階級の状態（オンデマンド版）

Digital Publishing

2003年8月29日　発行

著　者　浜林正夫・鈴木幹久・安川悦子
発行者　江草　忠敬
発行所　株式会社 有斐閣
〒101-0051　東京都千代田区神田神保町2-17
TEL 03(3264)1315（編集）03(3265)6811（営業）
URL http://www.yuhikaku.co.jp/

印刷・製本　株式会社　デジタルパブリッシングサービス
URL http://www.d-pub.co.jp/

AB411

ISBN4-641-90345-X
Printed in Japan